Tudo
é possível

ALLAN PERCY

Tudo é possível

SEXTANTE

tradução: Monica Baña
preparo de originais: Melissa Lopes Leite
revisão: Ana Grillo, Fátima Amendoeira Maciel e Rosana Alencar
projeto gráfico e diagramação: Ilustrarte Design e Produção Editorial
capa: Silvana Mattievich
imagem de capa: Jumpstart Studios / Getty Images
impressão e acabamento: RR Donnelley

CIP-BRASIL. CATALOGAÇÃO-NA-FONTE
SINDICATO NACIONAL DOS EDITORES DE LIVROS, RJ

P485t Percy, Allan, 1968–
Tudo é possível: 75 caminhos para sair da mesmice e mudar sua vida/Allan Percy; [tradução Monica Baña]. – Rio de Janeiro: Sextante, 2013.
144 p.: 14 X 21 cm

Tradução de: El libro de las posibilidades
ISBN 978-85-7542-929-7

1. Técnicas de autoajuda 2. Autoconfiança. I. Título. II. Setenta e cinco caminhos para sair da mesmice e mudar sua vida.

13-2163. CDD: 158.1
CDU: 159.947

Rua Voluntários da Pátria, 45 – Gr. 1.404 – Botafogo
22270-000 – Rio de Janeiro – RJ
Tel.: (21) 2538-4100 – Fax: (21) 2286-9244
E-mail: atendimento@esextante.com.br
www.sextante.com.br

Não sabendo que era impossível, foi lá e fez.

ATRIBUÍDO A MARK TWAIN
(escritor americano)

SUMÁRIO

Prólogo

O guia de Shackleton

A HISTÓRIA DA HUMANIDADE está repleta de exemplos de pessoas que emergiram das profundezas do desespero ou que conseguiram realizar façanhas além do imaginável. *Tudo é possível* nos permitirá conhecer algumas dessas proezas para que elas nos sirvam de orientação e nos inspirem.

Para começar, vamos refletir sobre a história de um homem que se atreveu a desafiar o impossível.

No verão de 1914, o navio *Endurance* partiu em direção ao Atlântico Sul. Depois de encalhar e ser destruído pelos blocos de gelo que o aprisionavam, obrigou sua tripulação a empreender uma travessia épica de trenó pelo mar gelado de Weddell, na Antártica, sob condições extremas. Os homens continuaram a viagem em botes até a desolada ilha Elefante, e tudo indicava que estavam condenados a sucumbir ali.

O capitão da expedição, Shackleton, decidiu reconstruir um bote minúsculo e reuniu cinco homens para, junto com ele, saírem remando em busca de ajuda, atravessando a terrível passagem de Drake. Até então, nenhuma embarcação tão pequena havia conseguido feito semelhante, mas os expedicionários do *Endurance* não perderam a esperança e chegaram à ilha Geórgia do Sul.

Os desafios, porém, não terminariam ali, porque eles também precisavam cruzar, sob um clima glacial, a cordilheira escarpada que atravessava a ilha – um território gelado que nunca havia sido cartografado! O grupo decidiu que apenas três deles seguiriam a pé, enquanto os outros ficariam esperando. Os escolhidos caminharam sem descanso durante 36 horas, até o limite da exaustão, para salvar a própria vida e a de todos os companheiros.

Houve muitos acontecimentos insólitos ao longo da expedição. Em um deles, diante de um despenhadeiro mortal que não conseguiam superar, os três homens se abraçaram, como se estivessem em um tobogã, e se lançaram no abismo, deslizando pela neve.

Durante a caminhada extenuante, Shackleton escreveu em seu diário que, quando estavam a ponto de desistir e esperar a morte, sentiram que havia um desconhecido acompanhando-os e mostrando-lhes o caminho. Seu relato impressionou o poeta T. S. Eliot, que escreveu a respeito os seguintes versos: "*Se olho para a frente pelo branco caminho / Sempre há outro que caminha a teu lado.*"

Essa presença que os levou até a salvação pode ser entendida de diferentes maneiras. Para alguém religioso, seria Deus, que nunca nos abandona nos momentos de dificuldade. Para um agnóstico, pode ser a fé nas próprias possibilidades que, em forma de alucinação, guiou os homens de Shackleton através do gelo.

Antes de tirarmos conclusões, vamos ver como terminou a aventura. Os seis heróis conseguiram, após uma odisseia de 1.300 quilômetros, chegar à estação baleeira de Stromness. Ali, pediram ajuda à marinha chilena, que em pleno inverno antártico pôde resgatar com vida os 22 homens que haviam ficado na ilha Elefante.

Todos os integrantes da expedição sobreviveram.

Contrariando todas as previsões, a persistência do capitão e a fé dos seus homens superaram todos os obstáculos. Eles haviam aprendido a lição do imperador romano Marco Aurélio, que assegura em suas *Meditações*:

Não é porque suas forças parecem insuficientes para a tarefa que você deve considerá-la fora do alcance do poder dos mortais. Por outro lado, se algo é possível para um homem, acredite: também está dentro de sua capacidade.

Caro leitor: não vou pedir a você que cruze mares bravios em um bote que está afundando nem que se lance no abismo, mas gostaria que meditasse sobre esses seis homens e seu guia invisível. Eles transformaram o pensamento trágico em pensamento mágico. Transformaram limitações em possibilidades.

Se eles foram capazes de superar todas aquelas dificuldades, nenhum problema é realmente insolúvel, nenhum sonho é irrealizável. Basta ter coragem e se deixar guiar pela fé inabalável.

Se eles conseguiram, você também consegue.

*As limitações existem apenas em nossa mente.
Se usamos a imaginação, nossas possibilidades
se tornam ilimitadas.*

Jamie Paolinetti
(ciclista americano)

Um livro na espreguiçadeira

NUNCA SABEMOS o que pode mudar nossa vida: um simples gesto, um telefonema ou um objeto esquecido no lugar mais inesperado podem conter uma oportunidade valiosa.

Vejamos o caso do escritor Dan Brown, que começou a carreira estudando música e arte em diferentes escolas e faculdades. Depois de se formar, gravou o primeiro CD, *Perspective*, e em 1990 mudou-se para Hollywood com a intenção de ser pianista. Ao chegar lá, porém, começou a ganhar a vida como professor de inglês e espanhol em um colégio de Beverly Hills. Decepcionado, voltou para casa, em New Hampshire, onde continuou dando aulas. Em 1992, gravou o segundo CD, *Dan Brown*, e em 1994, *Angels and Demons*, título que usaria depois em um de seus romances mais célebres.

Foi só após uma viagem ao Taiti com a mulher – pintora e especialista em história da arte – que a vida de Dan Brown deu uma guinada. Na viagem, ele encontrou, esquecido em uma espreguiçadeira, um romance de Sidney Sheldon: *Juízo final*. Leu o livro de um só fôlego e, ao terminar, entendeu que o que queria fazer da vida era escrever.

Quando voltou para casa, começou a trabalhar em seu primeiro romance, um thriller tecnológico que ele batizou de *A fortaleza digital*. Esta obra não recebeu boas críticas, mas conquistou certo sucesso e lhe abriu as portas do mundo editorial. A publicação seguinte viria no ano 2000: *Anjos e demônios*, livro em que o famoso personagem de Brown, Robert Langdon, apareceria pela primeira vez.

Após esse romance, ainda publicou *Ponto de impacto*, mas a obra que o catapultou para a fama foi *O Código Da Vinci*, com Langdon novamente como protagonista.

Nada disso teria acontecido se Dan Brown não tivesse encontrado na espreguiçadeira aquele livro perdido.

1ª Lei das possibilidades

É preciso manter os olhos bem abertos, porque nunca se sabe onde uma oportunidade se esconde.

A arte do atrito

UM PROVÉRBIO CHINÊS diz que "uma pedra preciosa não pode ser polida sem atrito, nem o homem se aperfeiçoar sem provação". No caminho da vida, vamos enfrentar problemas sérios, errar e fracassar, mas isso não deve nos deter.

Outro provérbio diz: "Se você cair sete vezes, levante-se oito." Cada queda é uma lição que precisávamos aprender e que ao mesmo tempo nos permite mudar de ponto de vista. Com frequência, um acidente, uma doença grave ou um negócio falido funcionam como o detonador que abre uma fenda no muro da normalidade e nos leva a alcançar o extraordinário.

Como veremos em um dos capítulos, Richard Branson começou a ganhar dinheiro com sua gravadora, a Virgin, após fracassar com vários negócios que surgiram de ideias disparatadas mas que muito provavelmente o ajudaram a entender as leis do mercado e a construir algo que hoje é um verdadeiro império.

2ª Lei das possibilidades

O primeiro sucesso nos espera depois do último fracasso.

Uma humilde carta

ONDE NÃO EXISTIREM oportunidades, será preciso criá-las. Assim devia pensar David Mackenzie Ogilvy, considerado o melhor publicitário de todos os tempos, ao refletir sobre o modo singular como entrou no difícil mundo dos criativos.

Nascido na Inglaterra, David emigrou para os Estados Unidos em 1938. Após estudar gastronomia, foi aprendiz em um restaurante por um ano e depois começou a vender fornos de porta em porta. Era um vendedor tão bom que seus supervisores pediram a ele que redigisse um manual, mais tarde considerado pelos editores da revista *Fortune* o melhor manual de vendas já escrito.

Ogilvy era um explorador nato e camaleônico, transitando por ofícios e ocupações diversas. Durante a Segunda Guerra Mundial, trabalhou para o Serviço de Inteligência Britânico, e após essa etapa viveu durante alguns anos com os *amish,* trabalhando como lavrador.

Quando meteu na cabeça que tinha que ser publicitário, escreveu as seguintes palavras para aqueles que se tornariam seus sócios mais tarde:

> Homem de 38 anos, desempregado. Sem estudos universitários. Experiência como cozinheiro, vendedor, diplomata e agricultor. Não possui conhecimentos de marketing e nunca escreveu um texto. Interessado em publicidade. Disponibilidade imediata por 5.000 dólares anuais.

Esta humilde carta surtiu efeito. Poucos anos depois, sua agência decolava e alcançava cifras cada vez mais altas. O lema empresarial era: "Pense grande para conseguir grandes clientes."

Ele certamente conseguiu.

3ª Lei das possibilidades

Se algo é improvável
não significa que seja impossível.

A viagem de Buda

DA ERA MODERNA, passamos à antiga Índia. Um caso exemplar de mudança de rumo é o de Sidarta Gautama, mais conhecido como Buda.

Sidarta, um príncipe nascido no nobre clã dos xáquias, ao sopé do Himalaia, havia crescido em um ambiente de luxo e beleza, distante de todo sofrimento. No entanto, ao completar 29 anos, desejava tanto saber como era o mundo do outro lado dos muros do palácio que pediu ao pai autorização para sair.

Apesar de o rei ter tomado medidas para protegê-lo da realidade nua e crua, a fome, a doença e a velhice não passaram despercebidas aos olhos do príncipe, e ele chegou até a presenciar a morte que o pai tanto havia tentado esconder.

Depois de conhecer tudo aquilo, Sidarta não conseguiu voltar à vida anterior, pois havia compreendido que tanto ele como todos aqueles que conhecia passariam pelo mesmo sofrimento. Onde estaria a libertação?

Ao encontrar alguns monges, ele decidiu que esse seria o seu caminho. Raspou a cabeça e abandonou o palácio e todas as riquezas. Partiu sem nada. Teve que aprender duramente que todos os extremos são prejudiciais, que a libertação não está nem na pobreza absoluta nem no luxo exagerado. Também entendeu, durante a viagem, que toda a sabedoria externa é finita e que precisava buscar o conhecimento dentro de si mesmo.

Um dia, sentou-se debaixo de uma árvore e decidiu meditar ali até encontrar as respostas que desejava. Após um longo período atingiu a iluminação – acordou para a verdade – e alcançou o nirvana.

Sidarta precisou empreender uma longa viagem repleta de privações para encontrar o que procurava dentro de si mesmo.

4ª Lei das possibilidades

Algumas oportunidades estão tão próximas que não somos capazes de enxergá-las.

Revolução

NÃO DEVEMOS NUNCA desanimar se uma ideia nossa for rejeitada ou até mesmo ridicularizada, pois grandes avanços da nossa era tiveram reações similares quando surgiram.

Depois que foi desenvolvida a tecnologia para os filmes falados, um executivo da Warner Bross disse: "Mas quem vai querer ouvir os atores falando no cinema?"

E não era o único que pensava desse jeito. A imensa maioria de produtores, diretores e críticos da sétima arte desconfiava dos filmes sonoros. Eles consideravam o cinema mudo uma linguagem universal. Com a estreia do filme *O cantor de jazz*, porém, muitos perceberam que a mudança era inevitável.

O Japão, que junto com os Estados Unidos havia sido um dos grandes produtores de cinema durante as décadas de 1920 e 1930, ficou para trás por causa da sua resistência à nova tecnologia e custou para se adaptar à mudança.

Quando os filmes sonoros começaram a estrear com regularidade, o público não demorou a se perguntar como podia ter vivido até então sem ouvir as vozes dos atores.

Acontece sempre a mesma coisa: uma ideia parece impossível até que alguém a transforma em realidade.

5ª Lei das possibilidades

Toda inovação precisa superar o muro da rejeição inicial.

Formular novas perguntas,
descobrir novas possibilidades,
abordar problemas antigos
a partir de um novo ângulo;
tudo isso exige uma imaginação criativa e
caracteriza os verdadeiros avanços da ciência.

ALBERT EINSTEIN
(físico alemão)

O negócio de uma idealista

A CRIADORA DA EMPRESA de cosméticos The Body Shop, Anita Perella Roddick, nasceu em uma família humilde de imigrantes italianos. Estudou para ser professora, mas acabou viajando pelo mundo após conseguir um trabalho nas Nações Unidas.

Em uma das viagens, conheceu Gordon Roddick, que se tornaria seu marido. Eles tiveram duas filhas, abriram um restaurante e um hotel. No entanto, Anita sempre soube que aquele não era o seu caminho. Outras possibilidades se agitavam no seu interior, esperando para serem descobertas.

Em 1976, Gordon realizou uma longa viagem pela América Latina, e Anita se viu diante da obrigação de sustentar a família sozinha. Ela abriu a loja The Body Shop, em Littlehampton, na Inglaterra, e assim surgia a primeira cadeia de cosméticos que respeitava o meio ambiente e não fazia testes com animais.

No começo, o negócio não parecia nada promissor. Sua primeira localização, exatamente entre duas funerárias, estava longe de ser a ideal. No entanto, o fato pareceu não incomodar os clientes, já que a renda da loja aumentava de tal maneira que rapidamente houve a necessidade de abrir uma filial.

Em 2007, The Body Shop já contava com 2.100 lojas em 55 países e oferecia 1.200 produtos diferentes. O segredo? Identificar uma oportunidade em algo em que ninguém havia ousado apostar. Nas palavras da própria Anita: "Se quiser ter sucesso, acredite em alguma coisa com muita paixão e ela vai acabar se tornando realidade."

6ª Lei das possibilidades

Ser o primeiro a fazer algo já garante 50% de chance de sucesso.

Velocista ou maratonista?

JIM ROHN, UM dos pioneiros das técnicas de coaching, afirmou que "é a motivação que nos faz começar e são os hábitos que nos mantêm de pé". Ao dizer isso, ele falava da emoção que nos envolve quando iniciamos um novo projeto, de maior ou menor importância, como por exemplo: uma nova formação para melhorar nossas oportunidades de trabalho, a prática regular de um esporte, o estudo de um idioma ou uma dieta para recuperar o peso ideal.

Esses projetos que empreendemos, principalmente depois de voltar de férias ou quando o ano começa, só deixarão o reino da fantasia se adquirirmos novos hábitos que nos permitam mantê-los em curso.

É necessário ter uma disciplina quase militar para estudar quando o que gostaríamos de fazer é nos deitar em frente à TV, ou para sair e fazer exercícios físicos quando o dia está frio e o mais convidativo é ficar em casa, ou então para retomar a leitura de um livro depois de um longo dia de problemas no trabalho.

No entanto, essa é a diferença fundamental entre o velocista, que só consegue alcançar aquilo que está diante do seu nariz, e o corredor de maratona, que é capaz de continuar avançando ainda que não consiga ver a linha de chegada.

E quanto a você? Qual é a sua abordagem para aquilo que você se propôs a fazer?

7ª Lei das possibilidades

Quando a meta está muito longe,
apenas os maratonistas têm sucesso.

O homem que fazia amigos

SER BEM-SUCEDIDO NAQUILO que nos propomos a fazer depende, sobretudo, da nossa capacidade de encantar as pessoas à nossa volta. Quem sabe se comunicar e ouvir consegue muito mais ajuda e oportunidades do que quem se fecha em sua couraça, esperando que o mundo venha procurá-lo.

Socializar é uma arte a que Dale Carnegie, autor de *Como fazer amigos e influenciar pessoas,* dedicou sua trajetória profissional, após uma vida repleta de mutações camaleônicas.

A biografia de Carnegie reflete o modelo americano do homem que se fez sozinho, ou *self-made man.* Nascido numa fazenda humilde no Missouri em 1888, ele passou a infância trabalhando no campo. Estudou para ser professor da educação básica, mas, ao terminar a universidade, começou a oferecer cursos por correspondência aos agricultores.

Depois de descobrir que era um vendedor extraordinário, foi trabalhar para a empresa Armour & Company, conseguindo transformar sua área na líder nacional em vendas.

Com o lema "Fale com uma pessoa sobre ela mesma e ela vai ouvi-lo durante horas", seu método insiste na importância de não criticar ou questionar o interlocutor, ou só conseguiremos fazer com que ele se justifique e alimente ressentimentos contra nós. O segredo, afirma Carnegie, é deixar de julgar e aguçar nossos ouvidos para as motivações dos outros.

Em suas próprias palavras: "Você fará mais amigos em dois meses se se interessar pelas pessoas do que em dois anos tentando fazer com que essas mesmas pessoas se interessem por você."

O bom humor é outro ingrediente primordial para a popularidade – um verdadeiro ímã para oportunidades. As pessoas negativas que estão sempre se queixando são, essencialmente, egocêntricas, pois não respeitam o estado de espírito do interlocutor e podem até contaminá-lo com seu baixo-astral.

Por outro lado, aquelas que transmitem otimismo e riem dos próprios problemas geram um campo magnético de simpatia que abre muitas portas.

Dale Carnegie tem um ótimo conselho para quem dá muita importância aos problemas do cotidiano: "Lembre-se de que hoje é o amanhã com que você se preocupava ontem."

8ª Lei das possibilidades

Cada novo amigo é uma porta aberta
para novas oportunidades.

Seja como a água

NINGUÉM PREVIA UM futuro estelar para Bruce Lee quando ele nasceu, nos Estados Unidos. Sua família se mudou para Hong Kong quando ele ainda era um bebê. Na adolescência, acostumado a se envolver em brigas, começou a estudar kung fu com o mestre Yip Man.

Quanto tinha 18 anos, os pais o mandaram de volta para os Estados Unidos, e ele estudou filosofia na Universidade de Washington enquanto trabalhava em um restaurante chinês. Bruce quis criar uma série de TV, mas uma produtora roubou sua ideia e escalou outro ator para o papel que ele queria fazer.

Ele ficou decepcionado, mas, ao voltar a Hong Kong para visitar a família, uma oportunidade no mundo do cinema caiu em suas mãos. O produtor Raymond Chow ofereceu a Bruce a possibilidade de participar de um projeto chamado *O dragão chinês*, que foi um grande sucesso e o lançou para a fama.

Fora do âmbito cinematográfico, Bruce era um filósofo do corpo e da mente que anotava seus treinos diariamente na agenda e os comparava, com a intenção de melhorar todos os dias. Ele achava que o kung fu tradicional era limitado porque impunha posições fixas que restringiam a espontaneidade.

Quando estava chegando ao fim da vida, o que, aliás, aconteceu quando ainda era jovem, Bruce Lee transferiu esse mesmo espírito para seu pensamento filosófico. Acreditava que, do mesmo jeito que acontecia com a arte marcial tradicional, cada pessoa está limitada por seus preconceitos, e é isso que fecha portas.

Para aumentar nosso campo de possibilidades, devemos esquecer as formas e buscar a flexibilidade física e mental, adaptando-nos às mudanças. Os verdadeiros obstáculos estão dentro de nós.

Em um de seus discursos mais célebres, Bruce declarou:

> Eu não represento um estilo, mas sim todos os estilos. Vocês não sabem o que estou prestes a fazer, mas eu também não sei. Meu movimento é resultado do seu movimento e minha técnica é resultado da sua técnica.

Durante um treino, Bruce machucou gravemente as costas e teve que ficar imobilizado por seis meses. Foi nessa época que ele escreveu as notas que depois se transformariam no livro *O tao do Jeet Kune Do*, influenciado pelo taoísmo e pelas ideias do pensador indiano Jiddu Krishnamurti.

Apesar de ter ouvido que não voltaria a andar, a vontade de Bruce foi mais forte, e ele não apenas recuperou todos os movimentos como continuou com os treinamentos e os filmes até o dia de sua morte.

Em 1971, em uma entrevista a um *talk show*, Bruce Lee disse as seguintes palavras, que ficariam célebres:

> Não se coloque dentro de uma fôrma; adapte-se e construa a sua própria. Deixe-a se expandir, como a água. Esvazie sua mente de modelos e formas, seja amorfo como a água. Você põe água em um copo, ela se torna o copo; põe água em uma garrafa, ela se torna a garrafa; põe água em um bule, ela se torna o bule. A água pode fluir ou pode colidir. Seja água, meu amigo.

9ª Lei das possibilidades

Quando não agimos mais a partir do preconceito, do que foi preestabelecido, nossas opções se multiplicam.

Pare de pensar em termos de limitações e comece a pensar em termos de possibilidades.

Terry Josephson
(autor motivacional americano)

Dois terços do caminho

EM UMA ENTREVISTA concedida à revista *Esquire*, George Bush (pai) e Barbara Bush falaram sobre o que é preciso para manter um casal unido: "Cada um deve estar disposto a percorrer dois terços do caminho."

Por meio dessa declaração, eles deram uma receita que vale não apenas para o amor, mas também para enfrentar qualquer conflito interpessoal.

Com frequência achamos que é impossível resolver um problema porque só estamos dispostos a percorrer uma parte curta do caminho. Fazemos um pequeno gesto e, se não conseguimos resposta, nos agarramos à ideia que provocou a separação.

Algumas pessoas chegam até a metade exata do caminho e, como não acham ninguém, voltam por onde vieram.

Por meio do personagem Dr. Jekyll, o escritor R. L. Stevenson disse o seguinte: "Ame-me quando eu menos merecer, porque é neste momento que mais vou precisar."

Era basicamente a isso que se referiu o político que entrou para a história por suas iniciativas bélicas mas que conhecia a receita para o amor duradouro.

10ª Lei das possibilidades

As soluções não virão até você; você deve buscá-las.

Made in Ikea

Se estudarmos a vida dos grandes empresários das últimas décadas, descobriremos que sua capacidade de adaptação foi um elemento essencial para o sucesso.

A origem do império Ikea é um bom exemplo disso. Seu fundador, Ingvar Kamprad, começou em 1943, na Suécia, um modesto negócio de venda de artigos por correio. No início, dedicou-se a oferecer produtos de uso cotidiano e por preços muito acessíveis, como canetas, porta-retratos, meias e relógios. Mas pouco a pouco foi se introduzindo no mundo dos móveis, e assim nasceu a empresa que hoje está presente em milhões de lares mundo afora.

Quando se especializou no mobiliário doméstico, Kamprad usava um carro velho para entregar as mercadorias. Depois que percebeu que não podia transportá-las de modo adequado, investiu em móveis desmontáveis, decisão que foi resultado de um feliz acaso: um dia, por não conseguir enfiar uma mesa no caminhão de entregas, um funcionário resolveu retirar os pés dela e transportá-la desmontada.

Uma pessoa de visão estreita teria amaldiçoado esse percalço. Foi esse incidente, porém, que permitiu a Ingvar ter uma inspiração: desmontar os móveis facilita o transporte e assim barateia o custo.

A descoberta dessa possibilidade gerou o conceito Ikea, que rapidamente começou a ganhar mercado na Suécia.

Os concorrentes, sentindo-se ameaçados pelos baixos preços e pelo ótimo catálogo, fizeram de tudo para fechar-lhe as portas das principais feiras de móveis. Essa foi mais uma impossibilidade convertida em possibilidade fértil, já que em função disso

Kamprad resolveu ampliar o negócio para outros países até chegar a ser, atualmente, um dos homens mais ricos do mundo.

11ª Lei das possibilidades

Toda impossibilidade esconde novas possibilidades.

A lei da atração

Por meio do livro *O segredo*, Rhonda Byrne popularizou a chamada lei da atração, que diz basicamente o seguinte: se acreditarmos com firmeza que aquilo que mais desejamos é possível – mais do que possível, é real –, o desejo se realizará diante de nós.

Muitos leitores, porém, ficam com a parte teórica desse raciocínio e entendem, de modo equivocado, que basta pensar na prosperidade para que ela caia do céu.

Para funcionar, a lei da atração deve ser um processo completo. Não apenas as nossas expectativas devem mudar, mas também nosso modo de encarar a realidade e de interagir com ela. Em outras palavras, a crença positiva deve ser traduzida em novos hábitos que nos levem até os objetivos que queremos alcançar.

12ª Lei das possibilidades

Não é o que desejamos que gera as oportunidades, e sim o que fazemos para que se torne realidade.

O conto do sapateiro

A TRADICIONAL HISTÓRIA INFANTIL a seguir nos fala da possibilidade mais bonita que o coração humano pode abrigar: ajudar o próximo, ainda que ele aparentemente não possa retribuir o favor.

É uma fábula infantil polonesa que exemplifica a lei do carma – aquilo que fazemos aos outros acaba voltando para nós, de um jeito ou de outro.

Um jovem sapateiro deixou seu povoado. Pelo caminho, deparou-se com algumas formigas, que estavam muito tristes porque um urso havia destruído seu formigueiro. O sapateiro ajudou a reconstruí-lo e as formigas se ofereceram para retribuir o favor, gesto que fez o rapaz sorrir. O que poderiam fazer por ele aquelas humildes formigas?

O jovem seguiu seu caminho e encontrou algumas abelhas com um problema quase igual ao das formigas. Também prestou ajuda e as abelhas prometeram que o recompensariam no futuro. E isso também o fez sorrir.

Mais adiante, chegou aos ouvidos do sapateiro a notícia de que a filha do rei havia sido aprisionada no castelo de uma bruxa. O jovem ficou determinado a resgatar a moça, mas a bruxa o trancafiou num calabouço. Ao seu lado, fora deixado um saco de areia com sementes de papoula e, se ele não conseguisse separar uma coisa da outra, a bruxa lhe cortaria a cabeça.

O jovem pensou que ia morrer, mas chegaram suas amigas, as formigas, e o ajudaram a vencer o desafio. A bruxa ficou assombrada com o feito. Levou-o então para um quarto onde havia 13 donzelas com o rosto coberto. O sapateiro precisava descobrir qual delas era a princesa. O jovem quase desanimou, mas viu uma abelha pousando sobre... a mais doce, a verdadeira princesa. Quando o sapateiro levantou o véu do rosto da donzela, a bruxa se transformou em um corvo.

O sapateiro e a princesa se apaixonaram e viveram rodeados de animais e papoulas.

13ª Lei das possibilidades

Tudo aquilo que fazemos aos outros, de bom ou de ruim, acaba voltando para nós.

Encontrar o nicho

Na linguagem empresarial, fala-se de "nicho" quando alguém encontra uma possibilidade de negócio que ninguém havia explorado até aquele momento. Em vez de reproduzir o que outros estão fazendo – sempre com resultados inferiores –, cria-se um novo mercado para algo que ainda não existia.

Vamos estudar um caso pouco conhecido, mas que ilustra muito bem esse tema. Jonathan Rojewski, um financista que havia galgado posições até se tornar gestor de fundos na bolsa de Wall Street, largou tudo para criar sua própria empresa de tequila.

Isso mesmo: tequila!

Rojewski havia estudado gastronomia na juventude, mas por necessidades econômicas se dedicara aos investimentos. Sempre soube, porém, que essa não era sua paixão. Observando a cultura de coquetéis de Nova York, percebeu que havia um espaço inexplorado: ninguém havia tentado criar tequilas com sabores.

Foi assim que Rojewski renunciou a Wall Street e criou a marca Tanteo, que produziu a primeira tequila com sabor de pimenta, de chocolate e de extratos de fruta. Hoje mais de 150 bares nova-iorquinos já oferecem seus produtos, e a empreitada continua crescendo.

14ª Lei das possibilidades

Só chegamos ao possível depois de tentar o impossível.

É possível que os dias escureçam

A MAGIA DAS POSSIBILIDADES é especialmente útil quando passamos por um momento difícil. Se parece que a fatalidade está nos perseguindo, como aconteceu com Shackleton e seus homens, devemos dizer "Isso também vai passar" e avaliar novos caminhos.

Uma leitora me enviou uma reflexão tão profunda e comovente sobre essa ideia que resolvi reproduzi-la nestas páginas:

> É possível que os dias escureçam cedo demais. Às vezes, as nuvens são tão negras que os raios de sol não são suficientes para iluminar um sorriso. E as trevas são tão profundas que nossos olhos não podem perceber o fim do túnel onde estão escondidos todos os bons momentos.(...)
> É que o tempo passa depressa demais... e a vida segue sem pausa, acelerada.
> É possível que os dias fiquem escuros e que os obstáculos que o destino põe em nosso caminho nos pareçam pedras gigantescas, difíceis de contornar. Mas se soubermos esperar, se confiarmos em nós mesmos e nos agarrarmos às boas recordações, se soubermos ler os sorrisos nos rostos dos demais, então tudo mudará. Já não haverá dias cinzentos, nem crepúsculos eternos, mas abraços que diminuem o frio e anseios de liberdade em nossa alma, que se sente capaz de escrever o próprio caminho...
> É possível que os dias fiquem escuros, mas devemos continuar caminhando, vivendo, amando. Aprender a dizer "amo você" para as pessoas com quem nos importamos, silenciar a dor que nos consome e resgatar os bons momentos que nos fazem lembrar que existe vida lá fora...
> A felicidade do presente é a esperança que nos guia para o futuro, por isso luto todos os dias para que na minha cabeça

haja espaço apenas para os momentos maravilhosos. Lutemos para colecionar segundos repletos de magia e transformemos esses segundos em minutos que devem permanecer intactos e perenes.
Assim, conseguiremos sorrir, ainda que os dias pretendam ser crepúsculos e as noites se disfarcem de anoiteceres imortais, sem lua e sem estrelas.
É possível que os dias escureçam, mas uma luz brilha dentro de nós e nos ajuda a encontrar o caminho que leva ao sol.

Rebeca Bañuelos Ortiz

15ª Lei das possibilidades

Possibilidades são pontes entre as calamidades e as oportunidades.

Um verdadeiro amigo conhece os teus pontos fracos,
mas também te mostra teus pontos fortes;
sente os teus medos,
mas alimenta tua esperança; vê tuas limitações, mas dá ênfase às tuas possibilidades.

William Arthur Ward
(escritor e educador americano)

A estratégia de Bill Gates

ANTERIORMENTE FALAMOS SOBRE descobrir um novo nicho, usando o exemplo de um pequeno empresário. Agora vamos ver como esse espaço inexplorado pode chegar a se transformar em um sucesso mundial.

O empresário e filantropo Bill Gates não é um grande inventor, mas foi capaz de ver as possibilidades que seus competidores estavam deixando passar. Ele prestava atenção nas lacunas existentes no mercado.

Foi o que aconteceu quando ele deixou Harvard para fundar a própria empresa, a Microsoft. Ele havia ouvido falar do sucesso da Apple e da necessidade que tanto a Apple quanto a IBM tinham de um sistema operacional. Foi assim que começou a projetar o que viria a ser o sistema Windows.

Gates tinha tudo planejado: quando o MS-DOS – o precursor do Windows – ficou pronto, não vendeu os direitos por uma cifra astronômica, mas fez com que a IBM se comprometesse a pagar royalties por cada computador vendido com o sistema instalado.

Naquela época, as companhias de informática só se preocupavam em fabricar computadores cada vez mais rápidos e potentes, o que exigia investimentos enormes. Quando perguntaram a Bill Gates o que ele pensava sobre um novo computador que havia sido lançado pela IBM, ele se limitou a responder: "A IBM tem um produto, mas nós temos uma estratégia."

Ninguém tinha se preocupado em criar softwares, nem em estudar o restante do mercado. Bill Gates se desviou do caminho mais percorrido e com isso conquistou o sucesso.

16ª Lei das possibilidades

Se todo mundo está fazendo, não é mais uma oportunidade.

Você se sente estagnado?

No artigo publicado na internet "100 Ways to Change Your Life" (100 maneiras de mudar sua vida), Nora Dunn afirma que, para uma pequena revolução interna, só é preciso dispor de 20 minutos e de uma folha em branco. Faça uma lista das coisas que você gostaria de fazer, não importa do que se trate (estudos, conquistas, viagens). Não estabeleça nenhum limite nesse exercício; a ideia é apenas registrar por escrito aquilo que você deseja.

Em seguida, guarde a lista e só volte a avaliá-la depois de alguns dias.

Ao ler de novo o que escreveu, você verá de imediato quais são seus verdadeiros objetivos. Durante esse período de descanso, o inconsciente vai ter tempo de separar o joio do trigo para que você possa identificar exatamente o que quer fazer.

Deixe-se guiar por suas verdadeiras prioridades e você nunca mais vai se sentir estagnado.

17ª Lei das possibilidades

Para que o mais importante ganhe força, é preciso renunciar ao que é secundário.

Um caminho próprio

NOS MOMENTOS DE mudança, sempre nos deparamos com uma bifurcação: devemos tomar o caminho que os demais desejariam que seguíssemos ou o caminho que só pertence a nós mesmos?

Um exemplo disso foi o caso de Piotr Ilyich Tchaikovsky, compositor de *O lago dos cisnes* e *O Quebra-Nozes*, além de outras obras-primas universais. Se tivesse seguido o trajeto que havia sido traçado por seus pais, Tchaikovsky nunca teria se dedicado à música.

Nascido em uma família de classe média, ele foi educado para se tornar funcionário público, mas sentia desde pequeno o chamado da música. Apesar de ter se preparado com resignação para se dedicar ao caminho escolhido para ele, chegou um momento em que não pôde mais mentir para si mesmo – foi quando abandonou os estudos e se dedicou com paixão à carreira musical.

Em 1862, Tchaikovsky entrou para o Conservatório de São Petersburgo e se formou em apenas três anos. Trabalhou duramente para se transformar em um compositor de referência. Ele afirmava que "a inspiração não é um hóspede que visita de bom grado o preguiçoso".

Como seria o mundo se Tchaikovsky não tivesse escolhido o próprio caminho? E uma pergunta ainda mais importante: tem certeza de que *você* não está deixando de lado uma vocação que espera para ser libertada?

18ª Lei das possibilidades

Após observar os caminhos sinalizados pelos demais, é preciso descobrir o próprio caminho.

O remédio que quase vai para o lixo

Os grandes inventores e cientistas da humanidade souberam encontrar possibilidades valiosas em situações que pareciam irremediáveis. Um exemplo notável nesse sentido foi a descoberta da penicilina.

A história do antibiótico que usamos para tratar infecções por bactérias tem precedentes na Grécia e na Índia, e também nas culturas tradicionais da Sérvia, da Rússia e da China, passando pelos indígenas norte-americanos, que costumavam aplicar fungos nas feridas de guerra. A descoberta científica, porém, é atribuída a Alexander Fleming em 1928.

Ao voltar a Londres após uma viagem, o biólogo especializado em farmácia descobriu que todas as culturas bacterianas de *Staphylococcus aureus* do laboratório haviam perecido. Primeiro, pensou em jogar tudo fora, mas ao mostrar o que acontecera a um colega que acabava de chegar, um fato chamou sua atenção. Ele observou algo raro ao redor do fungo contaminante: uma espécie de halo transparente de destruição celular.

O fungo foi identificado como *Penicillium notatum* e, embora os dois cientistas tivessem demorado a entender o que tinham nas mãos, haviam encontrado um remédio para infecções que salvaria milhões de vidas.

19ª Lei das possibilidades

Todo acidente traz ensinamentos quando interpretado sob a ótica de novas possibilidades.

O teste de Ogilvy

CONHECER NOSSOS PONTOS fortes e fracos é a melhor maneira de saber com que ferramentas devemos abordar os projetos que estabelecemos para nós mesmos.

Um alto executivo da agência de David Ogilvy perguntou ao publicitário quais eram seus piores defeitos. Suas respostas foram:

1. Não suporto a mediocridade – nem a preguiça.
2. Perco tempo demais com coisas que não têm importância.
3. Como todas as pessoas da minha idade, falo demais do passado.
4. Nunca soube demitir as pessoas que precisava demitir.
5. Tenho medo de voar e sou capaz de fazer coisas ridículas para não subir em um avião.
6. Quando eu era diretor criativo em Nova York, escrevia uma parte grande demais do anúncio.
7. Não sei nada sobre finanças.
8. Mudo de opinião o tempo todo, sobre a publicidade e sobre as pessoas.
9. Sou tão sincero que posso chegar a ser indiscreto.
10. Nas discussões, sempre considero mais pontos de vista do que deveria.
11. Deixo-me impressionar excessivamente pela beleza física.
12. Tenho pouca tolerância ao tédio.

E quanto a você? Quais são seus piores defeitos?

Realize esta autoavaliação com a sinceridade de Ogilvy e você descobrirá por que certas coisas dão errado, o que faz com que você tropece 100 vezes na mesma pedra e como pode melhorar sua vida.

> **20ª Lei das possibilidades**
>
> Conhecer nossos pontos fracos encurta o caminho que nos leva a nossos objetivos.

As possibilidades se multiplicam quando decidimos agir em vez de reagir.

George Bernard Shaw
(dramaturgo irlandês)

Perguntas de Páscoa

No livro *El puente de la vida – La llave de la felicidad* (A ponte da vida – O segredo da felicidade) Juan Cayuela transmite os ensinamentos xamânicos da ilha de Páscoa e os passos que devemos realizar para descobrir nosso caminho. Para tanto, propõe que nos façamos as três perguntas que são sagradas para os indígenas:

1. Você é feliz?
2. Gosta do jeito como está vivendo?
3. Se você morresse hoje, fez ou está fazendo aquilo que sempre quis fazer?

Essas perguntas devem ser seriamente consideradas se não quisermos desperdiçar a vida em caminhos secundários que não nos levam aonde queremos chegar.

É o que o psiquiatra Viktor Frankl definia como "a busca do sentido". Sua logoterapia está baseada neste princípio: só alcançaremos o equilíbrio quando nos entregarmos à nossa missão na vida.

Quando seus pacientes faziam objeções como "Mas, doutor, eu não sei qual é meu objetivo na vida", ele respondia: "Pois agora você já tem um: seu objetivo na vida a partir de agora vai ser descobrir qual é a sua missão."

21ª Lei das possibilidades

Se você não sabe qual é o seu caminho, sua próxima missão na vida vai ser descobrir isso.

Tesouros do tédio

DEVERÍAMOS VALORIZAR MAIS o tédio, pois a partir desse estado de inação aparente têm surgido algumas das possibilidades mais estimulantes. Um exemplo notável é o de Don DeLillo, vencedor de diversos prêmios literários.

Aquele que viria a ser o autor de obras como *Ruído branco* cresceu no bairro italiano do Bronx, dividindo uma casa com outras 11 pessoas. Passava a maior parte do tempo zanzando pela rua. Apesar disso, conseguiu se formar pela Universidade de Fordham e rapidamente procurou um emprego para custear as viagens.

Ele conta que nunca tinha pensado em escrever até que trabalhou como segurança de um estacionamento. Ali, passava o tempo lendo James Joyce, William Faulkner, Ernest Hemingway, Flannery O'Connor, entre outros grandes autores.

Dispunha de tanto tempo livre para ler que começou a acalentar o sonho de escrever. E pôs mãos à obra.

Depois desse emprego, conseguiu um cargo em uma agência literária, onde ficou durante cinco anos. Publicou o primeiro conto, *The River Jordan* (O rio Jordão), na revista *Epoch* em 1960. Mas só publicaria o primeiro romance, *Americana*, 10 anos depois.

Don DeLillo recebeu inúmeros elogios da crítica e prêmios. Nada disso, porém, teria acontecido a ele sem a solidão deprimente do estacionamento onde se escondia a vocação de escritor.

22ª Lei das possibilidades

Até quando parece que não estamos fazendo nada, as possibilidades lutam para vir à tona.

Autoprofecias

O ESTOICO EPICTETO JÁ dizia há dois milênios que "não se deve ter medo da pobreza, nem da solidão, nem do cárcere, nem da morte... deve-se ter medo é do próprio medo".

A cantora e compositora americana Rosanne Cash bate na mesma tecla ao afirmar que "a chave para a mudança é se libertar do medo".

Não há nada errado em temer o desconhecido, mas ele não deve nos paralisar na hora de escolher entre várias opções ou de aceitar novos desafios.

Já que a mudança é inevitável dentro e fora de nós – o mundo se transforma constantemente, e nós também –, para gerar oportunidades devemos fluir com ele, e não fazer previsões. O medo surge de uma previsão negativa sobre o futuro, do tipo: "vou perder o emprego", "com certeza vou ficar doente" ou "meu cônjuge vai me trair".

Aliás, quando condicionamos a mente de modo negativo estamos contribuindo para que os temores se confirmem, já que de forma inconsciente incentivamos essas autoprofecias a realmente acontecerem.

23ª Lei das possibilidades

As previsões negativas nos levam de modo inconsciente à sua realização.

O conto da moeda e do destino

Um relato tradicional zen conta que, durante uma batalha importante, um general japonês decidiu atacar. Seu exército estava em situação muito inferior em termos numéricos, mas ainda assim o general estava completamente seguro de que venceriam. Seus homens, porém, tinham sérias dúvidas.

A caminho do campo de batalha, detiveram-se em um santuário religioso. Depois de rezar com os soldados, o general pegou uma moeda e disse:

– Agora, jogarei esta moeda. Se der cara, venceremos. Se der coroa, perderemos. O destino se revelará agora!

O general jogou a moeda no ar e todos a observavam com ansiedade enquanto caía. Deu cara. Os soldados ficaram tão alegres e confiantes que atacaram com vigor o inimigo e saíram vitoriosos.

Após a batalha, um tenente disse ao general:

– Ninguém pode mudar o destino.

– É verdade – concordou o general, ao mesmo tempo que mostrava ao tenente a moeda, que tinha cara em ambos os lados.

24ª Lei das possibilidades

Quando renunciamos ao azar e à sorte, estamos traçando nosso próprio destino.

O policial que foi parar na tela

A DIFERENÇA FUNDAMENTAL ENTRE as pessoas bem-sucedidas e as demais é que as primeiras sabem aproveitar as oportunidades que se apresentam na vida. O caçador de possibilidades está atento a tudo o que acontece e sabe extrair lições de qualquer situação nova.

Aconteceu algo parecido com Dennis Farina, o ator de cinema e televisão que ficou famoso graças à série americana *Law & Order*. Ele nunca havia pensado em atuar, nem como figurante. Era oficial do Departamento de Polícia de Chicago havia 18 anos quando o cineasta Michael Mann o contratou como assessor para assuntos policiais.

Essa foi a primeira vez que Farina entrou em um estúdio de filmagem. Ele tinha 37 anos, e Mann certamente viu nele o talento para a interpretação, já que pediu que desempenhasse um pequeno papel em um de seus filmes.

Sem planejar, Farina passou de oficial da polícia a ator profissional, e começou a participar de séries e de filmes de sucesso como *Miami vice*, *Fuga à meia-noite*, *O nome do jogo* e *Snatch – Porcos e diamantes*. Uma rica trajetória para um homem que nunca estudou arte dramática.

Muitos policiais rejeitariam a ideia de interpretar a própria vida em um filme de ficção, mas Dennis Farina assumiu seu novo papel com a naturalidade de um jovem saído de uma escola de atores de Los Angeles.

Em vez de medo, sentiu curiosidade diante daquele novo mundo que se descortinava. E isso permitiu a ele descobrir de modo descompromissado uma vocação que havia permanecido oculta por 37 anos.

A Bíblia diz que "insondáveis são os caminhos do Senhor". Mas o importante é estar preparado quando a oportunidade surgir.

25ª Lei das possibilidades

Nunca se deve deixar passar uma oportunidade por medo de não estar à altura.

Os ratos e o queijo

EM *QUEM MEXEU NO MEU QUEIJO?*, livro do Dr. Spencer Johnson, lemos que a mudança é inevitável na vida e que, para sermos felizes, precisamos ser capazes de nos antecipar a ela, nos adaptar rapidamente e desfrutar os desafios. Após conseguirmos isso, alcançar nossos objetivos se transformará em nosso passatempo favorito.

O médico e psicólogo que é autor do livro idealizou esta fábula empresarial ao observar que os ratos nunca voltam ao mesmo lugar para buscar comida.

Seus protagonistas são precisamente dois ratos e dois duendes que vivem presos em um labirinto. Os quatro têm por objetivo encontrar o queijo desaparecido, mas os humildes roedores estão mais preparados para a mudança e conseguem até racionalizar suas leis:

"A mudança é um fato" (O queijo se move constantemente);
"Preveja a mudança" (Fique alerta em relação aos movimentos do queijo);
"Controle a mudança" (Cheire o queijo com frequência para saber quando começa a mofar);
"Adapte-se rapidamente à mudança" (Quanto mais rápido se esquece o queijo velho, mais cedo se encontra o queijo novo);
"MUDE!" (Mova-se quando o queijo se mover);
"Aproveite a mudança!" (Saboreie a aventura e deleite-se com o novo queijo);
"Prepare-se para mudar rapidamente e várias vezes" (O queijo se move constantemente).

26ª Lei das possibilidades

As oportunidades sempre mudam de lugar, e isso favorece aqueles que estão em movimento.

Nossas aspirações são nossas possibilidades.

SAMUEL JOHNSON
(poeta inglês)

Milagres coletivos

Existem conquistas aparentemente impossíveis que nascem do trabalho de um grupo de pessoas que pensou de modo diferente das demais. É o caso da invenção que vem modelando nossa era: o computador.

O nascimento do computador foi resultado de um esforço de cooperação entre engenheiros eletrônicos, matemáticos, programadores e mecânicos.

Na época, houve quem não acreditasse em sua utilidade fora das grandes empresas, como, por exemplo, os executivos da Olsen Digital Corporation, que afirmaram em 1977: "Não existe razão para que todos tenham um computador em casa."

Por outro lado, a revista *Popular Mechanics* havia previsto: "Os computadores do futuro pesarão menos de uma tonelada e meia." Sem dúvida, acertaram em cheio, ainda que nenhum redator dessa publicação pudesse imaginar que um computador chegaria a caber no bolso.

Graças a todas as pessoas que acreditaram em possibilidades antes inimagináveis, vamos na direçao de um mundo cada vez mais global e repleto de opções. Se soubermos separar as verdadeiras oportunidades do spam inútil, não haverá limites para o que poderemos conseguir.

27ª Lei das possibilidades

As oportunidades se multiplicam quando são compartilhadas com as pessoas adequadas.

A alquimia dos sonhos

Na célebre fábula *O Alquimista*, Paulo Coelho conta a história de um pastor que faz uma viagem iniciática pelo deserto, em busca de algo que viu em um sonho, algo que o levará a se tornar alguém que nunca havia imaginado ser e a encontrar o amor de sua vida.

Este autor brasileiro, que foi letrista de alguns dos maiores cantores do país e que chegou a passar um período internado em um hospital psiquiátrico, nos descreve assim as possibilidades do espírito humano em *O monte Cinco*:

> Se você tem um passado que não o deixa satisfeito, esqueça-o agora. Imagine uma nova história para a sua vida e acredite nela. Concentre-se apenas nos momentos em que você conseguiu o que desejava e essa força irá ajudá-lo a conseguir o que quer.

A frase mais lembrada de Paulo Coelho é:

> Quando você quer alguma coisa, todo o Universo conspira para que você realize seu desejo.

Outras ideias poderosas deste fabulador das possibilidades:

> Quando fazemos algo pela primeira vez, a sorte costuma se pôr do nosso lado graças ao chamado "princípio favorável".

> É preciso ler os sinais que a vida nos envia para nos guiar pelo caminho.

> As crianças ensinam aos adultos três segredos da magia pessoal: ficam contentes sem motivo, estão sempre ocupadas com algo e sabem exigir com todas as forças.

O medo do fracasso é o pior inimigo de qualquer projeto. Os tesouros mais valiosos estão muito mais perto do que pensamos.

28ª Lei das possibilidades

O medo de fracassar transforma o possível em impossível.

A música não pode parar!

NEM TODAS AS mudanças desencadeadas pelo surgimento das novas tecnologias são positivas. O Napster e outros softwares que permitiram compartilhar arquivos de música deixaram a indústria fonográfica à beira do colapso. Os músicos passaram a não viver mais de seus discos, e sim de seus shows, já que o público não sente mais a necessidade de adquirir o suporte físico das canções.

Diante desse panorama, parecia impossível que alguém conseguisse encontrar uma saída viável para a indústria musical. Até que os empresários Daniel Ek e Martin Lorentzon criaram o Spotify.

A ideia é simples, porém poderosa: um serviço de música em *streaming*, instantâneo, legal e muito simples de usar. O dinheiro obtido com os clientes que assinam o serviço é distribuído a artistas e gravadoras de acordo com o número de vezes que sua canção é executada.

O que é inovador no conceito de Spotify é o fato de não concentrar o negócio na propriedade da música, como havia ocorrido até o momento, mas sim no acesso a um sistema de "tarifa fixa". Quando iniciaram o projeto, Ek e Lorentzon estavam tão seguros do que estavam fazendo que pagaram tudo do próprio bolso. Atualmente, empregam mais de 70 funcionários.

O segredo deles foi buscar uma solução para transformar uma crise – a da indústria fonográfica – em uma oportunidade.

29ª Lei das possibilidades

Existe uma solução para cada problema, mas é preciso observá-lo a partir de uma nova perspectiva.

O prêmio da dinamite

Todo ser humano tem a oportunidade de consertar seus erros por meio de ações positivas que possam compensar os prejuízos. No entanto, o que pode fazer alguém que tem certeza de que causou dor e destruição em toda parte?

Esse foi o drama do químico Alfred Bernhard Nobel, cujas pesquisas desde a juventude estavam dirigidas para o campo dos explosivos. O objetivo era controlar a detonação da nitroglicerina, e foi o que conseguiu em 1865. Em 1867, inventou a dinamite e a partir desse momento Nobel se dedicou à criação de outros explosivos, úteis no campo da mineração, da construção e da engenharia, mas principalmente na indústria militar, algo que o sueco não havia previsto.

Nobel amealhou uma grande riqueza, e também uma culpa tão grande que precisou buscar um modo de compensar o mundo pelo mal que suas invenções puderam causar quando usadas como arma. Com esse intuito, criou a Fundação Nobel com seu próprio dinheiro, que foi entregue ao Banco Central da Suécia. Os prêmios seriam dados àquelas pessoas que mais tivessem beneficiado o mundo nos campos da física, da química, da medicina, da literatura e em prol da paz.

Podemos não ser responsáveis por nenhum invento destruidor, mas todos nós lamentamos ter cometido alguma ação que não foi a mais adequada. Como nem sempre o que foi feito pode ser desfeito, o melhor modo de corrigir um erro é optar por ações positivas que resultem em benefício para os demais.

Como diz um provérbio árabe: "Deus não se importa com o que você foi, mas com o que será a partir de agora."

30ª Lei das possibilidades

O passado não pode ser mudado, mas decidimos o presente aqui e agora.

Cada momento nos oferece mais possibilidades do que percebemos à primeira vista.

THICH NHAT HANH
(monge budista vietnamita)

Rever os hábitos

O POETA INGLÊS JOHN Dryden disse certa vez: "Primeiro, nós fazemos nossos hábitos, e depois nossos hábitos nos fazem."

Como as metas de médio e longo prazo se sustentam nos hábitos, quem quiser dominar suas possibilidades deve revê-los e identificar o que dizem sobre si mesmo, já que para o bem ou para o mal eles são nosso cartão de visita.

No livro *Change Anything: The New Science of Personal Success* (Mude tudo: a nova ciência do sucesso pessoal), o especialista em comportamento Kerry Patterson afirma que para mudarmos nossos maus hábitos não precisamos apenas de força de vontade, mas também desenvolver a automotivação, aprender com nossos erros e adaptar nossa rotina aos novos objetivos que estabelecemos.

31ª Lei das possibilidades

Os hábitos são o material de construção dos projetos de médio e longo prazo.

A persistência de Disney

SÁBIAS PALAVRAS DE Walt Disney:

> É divertido fazer o impossível. Todas as coisas novas em algum momento parecem impossíveis diante dos olhos dos incrédulos. Mas os outros não podem nos dizer o que podemos ou não podemos realizar – somente nós mesmos somos capazes de estabelecer nossos limites e nossas metas.

Nascido em Chicago, Walt Disney teve uma infância difícil, com a família toda tendo que trabalhar de sol a sol. Ele e seu irmão Roy ajudavam o pai a entregar jornais.

Walt gostava de desenhar desde criança e, com o dinheiro das caricaturas que vendia, pôde custear as aulas no Instituto de Arte do Kansas e aprender a técnica de desenhar ao mesmo tempo que descobria o cinema.

Quando Roy saiu de casa, a família se instalou em Chicago e o pai montou uma pequena fábrica de geleia na qual Walt trabalhou até entrar para a Cruz Vermelha e ser enviado para a Primeira Guerra Mundial.

Durante o drama do campo de batalha, ele entendeu que a vida pode ser muito curta, e que devemos, portanto, nos dedicar às nossas paixões.

Ao regressar, buscou emprego como desenhista e foi morar com o irmão Roy no Kansas. Conseguiu trabalho na agência Pesmen-Rubin Art Studio e ali conheceu Ub Iwerks, que se tornaria seu sócio. Pouco tempo depois, foram trabalhar em uma agência maior, onde aprenderam as técnicas de animação cinematográfica.

Entusiasmados com as novas possibilidades que descobriam, Walt e Iwerks pegaram uma câmera emprestada e montaram seu primeiro filme de animação.

Após tentar inutilmente ter seus serviços contratados em Hollywood, Walt não desanimou e abriu uma empresa, desta vez com o irmão Roy: a Disney Brothers' Studio. Iwerks se uniria à empreitada pouco depois. A companhia começou a crescer e o nome foi mudado para Walt Disney Studio.

Tudo ia de vento em popa até que o principal cliente ficou com o coelho que Walt havia criado e que havia sido o protagonista de seus curtas-metragens. Esse contratempo não perturbou o ilustrador, mas o obrigou a explorar novas possibilidades. Foi a esposa dele que, durante uma viagem de trem, pensou no nome Mickey Mouse para um camundongo idealizado por Walt. Iwerks deu forma ao ratinho e este se transformou na imagem do estúdio.

Quando o cinema sonoro chegou, a nova tecnologia foi logo incorporada ao primeiro filme com Mickey e Minnie, sendo dublado pelos sócios para reduzir custos. Foi um grande sucesso.

O Walt Disney Studio cresceu sem parar e lá nasceram os personagens e filmes que todos conhecemos.

A figura de Disney está cercada de lendas, como o rumor de que ele está congelado. O mais importante, porém, é lembrar que ele foi um menino que lutou para realizar seu sonho: criar desenhos em movimento.

Certa vez, ele explicou a fórmula para o sucesso da seguinte maneira:

> Não creio que haja nenhum pico que não possa ser escalado por uma pessoa que conheça o segredo para transformar sonhos em realidade. Defino esse segredo especial por meio de quatro "C"s: curiosidade, confiança, coragem e constância. A mais importante das quatro é a confiança. Quando você acredita em algo, tem que ser para valer: não pode admitir dúvidas nem questionamentos.

32ª Lei das possibilidades

Tudo aquilo que se pode imaginar será realidade um dia.

Não reclame – aja!

No E-BOOK *100 Days to Living Consciously* (100 dias para viver conscientemente), o jornalista Amit Sodha ressalta que todos os dias reclamamos do que vai mal em nossa vida, mas não fazemos nada para remediar isso. Se eliminarmos o lamento e as queixas, deixaremos de reagir negativamente para atuar de modo proativo, usando soluções reais.

Para transformar as lamentações em possibilidades, Amit Sodha propõe que cada pessoa estabeleça um objetivo concreto na mente e que lute para não se deixar abater pelas dificuldades que possam surgir.

Como disse a motivadora Earlene Larson Jenks: "É preciso ter a coragem de agir em vez de reagir."

33ª Lei das possibilidades

Trocar queixas por ações multiplica nossas oportunidades.

O conto do rei, do cirurgião e do sufi

Um antigo rei da Tartária estava passeando com alguns de seus nobres quando, no meio do caminho, encontrou um sufi errante, que exclamou:

– Darei um bom conselho a qualquer um que me pague 100 dinares.

O rei parou e disse:

– Diga-me: que bom conselho é esse que você vai me dar em troca de 100 dinares?

– Senhor, primeiro ordene que me seja dado o dinheiro, e imediatamente o aconselharei – respondeu o sufi.

Assim fez o soberano, esperando ouvir algo extraordinário. Então, o sufi disse a ele:

– Este é o meu conselho: "Nunca comece nada sem ter pensado no resultado final."

Diante dessas palavras, os nobres e todos os presentes caíram na gargalhada, dizendo que o sufi havia sido esperto ao pedir o dinheiro adiantado. Mas o rei disse:

– Não há motivo para rirem do bom conselho que este homem me deu. Ninguém ignora que devemos refletir antes de fazer qualquer coisa. No entanto, somos culpados diariamente de não nos lembrarmos disso, e as consequências são nefastas. Aprecio muito suas palavras.

A partir de então, o rei decidiu se lembrar sempre daquele conselho e ordenou que fosse escrito nas paredes com letras de ouro, chegando até a gravar a frase na baixela de prata.

Pouco depois, um conspirador teve a ideia de matar o rei. O vilão subornou o cirurgião real, com a promessa de nomeá-lo primeiro-ministro se este aplicasse uma lanceta envenenada no braço do soberano.

Quando chegou o momento de extrair o sangue do rei, o cirurgião pegou uma bacia de prata para recolher o sangue. Então se deparou com as palavras gravadas no recipiente: "Nunca comece nada sem ter pensado no resultado final."

Nesse momento o cirurgião caiu em si e percebeu que, se o conspirador conseguisse se tornar rei, a primeira coisa que faria seria mandar executá-lo. O soberano, vendo que o cirurgião estava trêmulo, perguntou o que estava acontecendo, e o médico confessou imediatamente a verdade.

O autor da conspiração foi capturado, e o rei reuniu todas as pessoas que haviam estado presentes quando o sufi o aconselhara. Então perguntou-lhes:

– Ainda continuam rindo do conselho dele?

Do mesmo jeito que o rei, que conseguiu salvar a própria vida, evitaríamos muitos desgostos e brigas que nos fazem perder uma energia valiosa se parássemos para pensar aonde nossas decisões nos levam.

O simples – mas não tão comum – exercício de pensar nos ajuda a desviar das possibilidades negativas que alimentam nosso dia a dia com conflitos.

34ª Lei das possibilidades

Prever as consequências de nossos atos elimina as possibilidades indesejáveis.

O pessimismo opera dentro de um campo de visão tão estreito que a pessoa é incapaz de ver as possibilidades que existem para além de sua experiência.

NORMAN COUSINS
(jornalista e editor americano)

O homem das possibilidades

Já falamos de Richard Branson nas primeiras páginas deste livro e agora vamos nos deter um pouco mais em sua vida. Afinal, se existe um empresário que se caracteriza por explorar novas possibilidades, é o fundador da Virgin.

Este empreendedor londrino recebeu uma boa educação desde menino, mas sofria de dislexia e por conta desse distúrbio seus resultados acadêmicos eram medíocres, fato que não foi obstáculo na hora de abrir empresas ainda muito jovem.

Aos 16 anos, abandonou os estudos e se mudou para Londres, onde fundou a revista *Student*. Aos 17, criou a organização beneficente Student Advisory Centre (Centro de Aconselhamento de Estudantes).

Richard entrou no mundo das gravadoras ao voltar de uma viagem pelo canal da Mancha. Ele se dedicou a comprar vinis em saldos e vendê-los nas ruas de Londres, usando o porta-malas do próprio carro. Ao perceber que o negócio tinha possibilidades, decidiu comercializar os discos pelo correio, com preços muito mais baixos do que os praticados pelas lojas. Foi quando criou a Virgin.

Depois de economizar muito, ele conseguiu abrir uma loja na Oxford Street e criou um selo, batizado de Virgin Records, que obteve muito sucesso com o álbum *Tubular Bells* de Mike Olfield. Foi a Virgin quem se atreveu a gravar os Sex Pistols quando nenhum outro produtor queria fazer isso.

Em 1992, com lágrimas nos olhos, Branson vendeu a gravadora para poder financiar as novas possibilidades que surgiam no horizonte: nada menos do que companhias aéreas.

Em suas próprias palavras: "Todo mundo precisa almejar alguma coisa. Chame-a de desafio ou de meta, não importa. Mas é isso que nos torna humanos. Foi o que nos tirou das cavernas para nos levar às estrelas.”

35ª Lei das possibilidades

Pense grande para almejar grandes resultados.

Lições do caos

O EX-SENADOR AMERICANO Win Borden disse certa vez: "Se você sempre esperar até ter certeza para fazer as coisas, provavelmente não vai fazer quase nada."

O motivo pelo qual tantas pessoas vivem uma existência monótona e repetitiva é o fato de se agarrarem às seguranças, por mais que não gostem delas, já que temem o caos. E, no entanto, a desordem se faz necessária antes de instalarmos uma nova ordem em nossa vida para que esta se aproxime daquela com que sonhamos.

Em seu artigo *How to Make a Radical Change in your Life* (Como fazer uma mudança radical na sua vida), o coach Alex Elkholy enfatiza que a vida nos propõe situações que nos arrancam do nosso lugar no mundo.

Após o caos que acompanha toda alteração de rotina, aparece uma nova gama de possibilidades. De uma hora para outra, podemos fazer uma escolha. Isso nos traz uma sensação de vigor e criatividade que nos permite superar nossos limites.

Não se deve, portanto, ter medo da mudança, nem dos pequenos e grandes naufrágios, já que depois da tempestade surgirão novas terras que nos levarão a explorar o que se encontra além de nossas fronteiras.

36ª Lei das possibilidades

A mudança e o caos precedem uma tormenta de possibilidades.

Quando a sorte bate à porta

SERIA SIMPLISTA LIMITAR as possibilidades ao que depende das nossas próprias decisões, uma vez que o mundo está repleto de oportunidades e que às vezes elas vêm ao nosso encontro sem que as tenhamos procurado. O grande diferencial é saber o que fazer quando a sorte cruza o nosso caminho.

Ninguém sabe o que teria sido de Kate Moss se ela não tivesse esbarrado com o acaso, personificado em Sarah Doukas, a fundadora da prestigiada agência de modelos Store. Até então, nada levava a crer que aquela menina tão andrógina e esquálida acabaria reinando nas passarelas durante a década de 1990.

Filha de uma garçonete e de um agente de viagens, Kate não se destacava muito nos estudos. Apenas o esporte parecia interessá-la. Quando estava prestes a sair de férias com a família, Kate cruzou com Sarah no aeroporto internacional de Nova York, e esse encontro mudou a vida da jovem estudante.

Após uma década encabeçando a lista de modelos mais bem pagas do mundo, parecia que a carreira de Kate havia terminado quando foram divulgados seus problemas com drogas, mas ela foi capaz de se reinventar e ressurgir das próprias cinzas. Atualmente, perto dos 40 anos, esta top model única continua trabalhando para as marcas mais glamourosas.

Nem todas as pessoas têm a sorte – ou o azar – de atrair a atenção de um caça-talentos, mas a vida de cada um de nós apresenta seus próprios golpes de sorte. Seja ela grande ou pequena, devemos aproveitar cada oportunidade para empurrar nossos sonhos na direção do horizonte que almejamos.

37ª Lei das possibilidades

A sorte existe, mas é preciso espremer todo o suco quando ela nos favorece.

O farmacêutico e a Coca-Cola

O QUE NUNCA SE viu, nem sequer uma vez, é uma impossibilidade. É simplesmente algo que não existe. Talvez por isso o primeiro excêntrico que lhe dê forma leve grande vantagem.

Vamos tentar imaginar como era, por exemplo, o mundo das bebidas antes de aparecer um produto tão estranho como a Coca-Cola.

Essa bebida de cor escura e sabor peculiar nasceu em Atlanta, em 1886, das mãos do farmacêutico John S. Pemberton, que tentava criar um tônico refrescante e revigorante. Nessa empreitada, foi ajudado pelo contador, Frank Robinson, que se encarregou humildemente do desenho da logomarca.

Tudo começou com um cartaz na porta da farmácia, convidando os clientes a provar a bebida. A venda das garrafas foi aumentando dia após dia. Dois anos depois, em 1898, a Coca-Cola já marcava presença em todo o território dos Estados Unidos.

Atualmente, mais de 8 milhões de pessoas trabalham para a Coca-Cola. A marca tem sido tão influente em nossa cultura que até mudou os trajes do Papai Noel. O homem rechonchudo e barbudo vestido de vermelho que todos conhecemos é um desenho de Haddon Sundblom, ilustrador da empresa.

Diz-se que somente duas pessoas no mundo – que nunca estão juntas sob o mesmo teto – conhecem todos os ingredientes do refresco e suas proporções. A fórmula Merchandise 7X está guardada a sete chaves no SunTrust Bank de Atlanta.

O fato de a marca ser ícone do estilo de vida americano não deve nos deixar esquecer que a bebida nasceu como uma humilde possibilidade: alguém estava procurando um tônico e acabou criando um sucesso colossal.

Esta é a magia das possibilidades: sabemos onde nascem – costuma acontecer em nossa cabeça –, mas ninguém sabe quão longe uma ideia pode nos levar quando fazemos algo produtivo com ela.

38ª Lei das possibilidades

Cada possibilidade é o primeiro passo de um caminho que não sabemos até onde pode nos levar.

Medo *versus* possibilidades

Um dos livros de autoajuda que marcaram a década de 1980 nos Estados Unidos, *Como superar o medo*, teve um começo tão interessante que merece ser contado. Sua autora, a doutora em psicologia Susan Jeffers, dirigia um hospital flutuante dentro de um navio em Nova York, onde pôde avaliar os estragos que o medo produzia em seus pacientes.

Logo após se divorciar daquele que havia sido seu marido por 16 anos, Susan escreveu um livro em que ninguém acreditou a princípio. O texto foi rejeitado vezes seguidas. Um editor chegou a escrever a seguinte nota: "Lady Di poderia ir pedalando nua pela rua dando este livro de presente e mesmo assim ninguém o leria."

Otimista incansável, Susan Jeffers não desistiu. Apesar de saber que todo mundo é ensinado a pensar que o negativo é realista e o positivo não é, ela mesma nunca acreditou nisso.

Contrariando todas as previsões, a psicóloga de Colúmbia conseguiu publicar seu livro, em que propõe aos leitores uma pergunta fundamental: "O que o impede, neste exato momento, de ser a pessoa que quer ser e viver a vida como quer viver?"

A resposta é sempre o medo, mas vale a pena dissecar quais temores nos fazem duvidar de nossas possibilidades e nos paralisam. Tememos:

- cometer equívocos, fracassar ou nos ridicularizar;
- não estar à altura das circunstâncias, ou seja, não atender às expectativas que os demais criam sobre nós;
- possíveis acontecimentos negativos, ainda que tenha sido demonstrado que 90% dos nossos medos nunca chegam a se concretizar.

Como as coisas positivas que podem nos acontecer superam de longe as negativas, a conclusão de Susan Jeffers é clara: o realista é ser otimista.

39ª Lei das possibilidades

O medo é um monstro que, se alimentado, devora nossas oportunidades.

É absolutamente impossível, mas tem possibilidades.

SAMUEL GOLDWIN
(fundador da Metro-Goldwin-Mayer)

Dois problemas milionários

Os GRANDES MESTRES das possibilidades são aqueles que souberam achar usos imprevistos para supostas calamidades. Neste capítulo, falaremos de duas "catástrofes" que trouxeram muito dinheiro para quem foi capaz de contemplar o erro com olhos criativos.

Art Fry é o primeiro exemplo de como o equívoco de um homem pode ser uma oportunidade para outro. Ele era funcionário da empresa de adesivos 3M, onde os chefes estimulavam os funcionários a circular por todas as áreas e não ficarem restritos apenas ao próprio serviço.

Foi assim que conheceu o cientista Spencer Silver e sua cola "frustrada". Um erro na fórmula havia gerado um lote de cola defeituosa que não aderia o suficiente e por isso seria destruída.

Diante daquela goma defeituosa, Fry viu a possibilidade de solucionar um problema que o incomodava sendo tenor no coral da igreja. Como tinha dificuldade para localizar os hinos com rapidez, teve uma ideia: com aquela cola e alguns pedaços de papel ele criou os primeiros Post-its para uso particular.

Sem imaginar o que tinha nas mãos, um dia lhe ocorreu utilizar um dos Post-its caseiros para um relatório interno. Seus companheiros ficaram entusiasmados com os papeizinhos de tirar e pôr e pediram mais a ele para as próprias anotações. Em algum momento a invenção chegou aos executivos da 3M, e o produto foi lançado com grande sucesso, podendo hoje ser encontrado em todos os escritórios do mundo.

Igualmente fortuita, ainda que mais trabalhosa, foi a descoberta, várias décadas atrás, do Velcro. Devemos este "acidente" a Georges Mestral, um inventor suíço que aos 12 anos já havia patenteado um avião de brinquedo.

Por volta de 1948, durante um passeio pelo campo, Mestral prestou atenção numas plantas incômodas que aderiam à roupa e ao pelo do cachorro. Ao olhar pelo microscópio, viu que elas se prendiam por meio de pequenos ganchos que recobriam cada semente.

De imediato ele percebeu as enormes possibilidades que esse achado oferecia. Após muitos testes para encontrar seu equivalente sintético, inventou o Velcro. Para chegar a esse material, precisou trabalhar durante oito longos anos, boa parte deles trancado numa cabana onde se dedicava aos experimentos.

Foi uma verdadeira odisseia desenvolver um produto que hoje em dia é encontrado em milhares de objetos diferentes. E pensar que tudo começou com uma mera observação...

40ª Lei das possibilidades

Cada acidente contém uma possibilidade à qual não teríamos chegado de outro modo.

Mudar lentamente

EXISTE UMA CRENÇA muito difundida de que a mudança deve ser rápida e fulminante, mas a vida nos mostra que nem sempre é assim. Algumas possibilidades necessitam da irrigação do tempo para dar seus frutos.

O filósofo chinês Confúcio relacionava essa semente, paciente mas efetiva, aos hábitos, de que já falamos em capítulos anteriores. Dizia: "A natureza é a mesma em todos os homens, são os hábitos que os diferenciam." Ou seja, se alguém quer mudar de vida, deve primeiro rever seus costumes e redefini-los para determinar quem quer ser de verdade.

Confúcio também disse: "Não importa a lentidão com que você caminha, desde que não pare", porque, uma vez que a semente foi plantada, com a persistência e o passar do tempo ela acabará brotando.

41ª Lei das possibilidades

Existem possibilidades que demandam paciência e tempo para germinar.

Possibilidades compartilhadas

QUANDO FALAMOS DE projetos que se realizam, de sementes e resultados, devemos considerar que boa parte da humanidade compartilha a vida – e os sonhos – com alguém.

Ao unir os destinos, cada membro do casal ganha em segurança e estabilidade, mas os dois correm o risco de fracassar se o apego for excessivo e invasivo, porque após um período de sufocamento vem o desejo da separação.

O poeta libanês Khalil Gibran refletiu a respeito do assunto de modo brilhante neste fragmento da obra-prima *O profeta*:

> Amem um ao outro, mas não façam do amor um grilhão:
> Que haja antes um mar ondulante entre as praias de suas almas.
> Encham a taça um do outro, mas não bebam na mesma taça.
> Deem pão um ao outro, mas não comam do mesmo pedaço.
> Cantem e dancem juntos, sejam alegres, mas deixem que cada um fique sozinho,
> Assim como as cordas do alaúde, que são separadas e, no entanto, vibram na mesma harmonia.
> Ofereçam seu coração, mas não deixem que isso signifique esquecer a si mesmo.
> Pois somente a mão da vida pode conter seus corações.
> E permaneçam unidos, mas não juntos demais;
> Pois as colunas do templo se erguem separadamente,
> E o carvalho e o cipreste não crescem à sombra um do outro.

42ª Lei das possibilidades

O casal não deve ser um nó que sufoca,
mas uma soma de oportunidades.

Uma mulher indomável

ALEXANDRA DAVID-NÉEL, ORIENTALISTA, escritora e exploradora, além de pianista e palestrante, foi, apesar de todos os impedimentos de sua época, uma viajante inveterada.

Nascida em meados do século XIX, distanciou-se como poucas mulheres dos clichês associados ao seu gênero. Casou-se com o homem que escolheu, ignorando os conselhos da família, e manteve intensa correspondência com o marido durante as inúmeras viagens solitárias.

Após aprender sânscrito, iniciou os primeiros contatos com o Tibete, um país então totalmente hermético, vedado aos ocidentais. Com apenas 21 anos, Alexandra viajou para a Índia, e lá fez amizade com um grande número de lamas. Teria continuado naquele país, mas ficou sem dinheiro e isso a obrigou a voltar para Paris, sem nenhuma intenção de se casar.

Na capital francesa, começou a ganhar a vida como professora de música e canto. Foi a profissão que a levou de novo à Ásia, dessa vez à Indochina, com a companhia de ópera de Hanói.

Cinco anos após se casar com Philippe Néel, empreendeu a grande viagem de sua vida: por Sri Lanka, Índia, Nepal e Tibete. Discípula notável do mosteiro indiano de Lanchen, aprendeu com o monge superior os segredos do budismo tibetano. Depois de uma dura aprendizagem, conseguiu ser recebida pelo Dalai-Lama, conquistando a honra de ser a primeira mulher ocidental recebida pelo líder religioso.

Continuou seguindo uma rota totalmente inexplorada até chegar a Lhasa, cidade proibida aos ocidentais. Disfarçada para evitar chamar a atenção, demorou três longos e difíceis anos para chegar ao destino final.

Para Alexandra David-Néel, as impossibilidades não existiam.

43ª Lei das possibilidades

Quando algo se apresenta para nós como impossível é porque estamos sendo convocados a demonstrar o oposto.

O mundo está repleto de embriões promissores chamados possibilidades.

George Eliot
(pseudônimo de Mary Ann Evans, escritora inglesa)

Curiosidade em primeiro lugar

COMO BEM DEFINIU o pastor californiano Raymond Lindquist: "Coragem é poder deixar para trás o que é conhecido." Ainda que muitas pessoas desejem mudar de vida e procurem uma alternativa para a infeliz realidade, sentem pavor só de pensar em abandonar aquilo que lhes é familiar.

Para explorar nossas possibilidades, devemos ser curiosos, lançar-nos ao desconhecido e nos atrever a conduzir nossa própria aventura.

Algumas considerações para aqueles que temem abandonar a terra firme que acreditam estar pisando:

- Mesmo que quiséssemos deter o mundo, este gira constantemente e tudo muda com ele. Já que temos que nos aventurar numa realidade instável, é melhor que nós mesmos nos movamos, antes que a vida faça isso conosco.
- A água parada estanca e apodrece. O movimento e a evolução são essenciais para nossa sobrevivência intelectual.
- A estagnação leva à paralisia e, consequentemente, à apatia, à frustração e à depressão.
- Talvez a curiosidade mate o gato, mas salva o ser humano de sua própria decadência.

44ª Lei das possibilidades

As oportunidades saem de suas tocas quando nos aventuramos pelo desconhecido.

A joia sem preço

UM RELATO TRADICIONAL do Oriente Próximo fala de um viajante que, enquanto cruzava o deserto, viu um árabe sentado ao pé de uma palmeira. Perto dele, descansavam seus cavalos, que iam carregados de valiosos objetos.

Aproximando-se do árabe, o viajante disse a ele:

– Vejo que está preocupado. Posso ajudar?

– Sim – respondeu o árabe com tristeza –, estou muito aflito porque acabo de perder a mais preciosa de todas as joias.

– Que joia era essa? – perguntou o viajante.

– Era uma joia como jamais haverá outra. Estava talhada em um pedaço de pedra da Vida e foi elaborada na forja do Tempo. Era adornada por 24 brilhantes e em volta deles se reuniam 60 pedras menores. Jamais uma joia igual poderá ser reproduzida.

– Sua joia devia mesmo ser preciosa – comentou o viajante. – Mas não é possível que, com muito dinheiro, se consiga fazer outra joia igual?

– A joia perdida – continuou o árabe, pensativo – era um dia, e não se volta a encontrar um dia que foi perdido.

45ª Lei das possibilidades

Cada dia é um tesouro de possibilidades se damos a ele o valor que merece.

O sonho de Murakami

O MELHOR DA VIDA é que nunca sabemos onde e quando começa uma nova possibilidade que, ao se materializar, representará uma virada radical em nossa existência.

Esse foi o caso do mais célebre escritor japonês contemporâneo, Haruki Murakami, que revelou em uma entrevista: "Nunca tive a intenção de me tornar escritor." O autor de *Norwegian Wood* e de outros clássicos modernos passou a infância lendo, mas não julgava ter as aptidões necessárias para escrever. Decidiu que a música seria o caminho e abriu um clube de jazz em Tóquio. Ele não só trabalhou arduamente durante os sete anos em que o dirigiu como também aproveitou para economizar dinheiro e continuar lendo.

Só pouco antes de completar 30 anos Murakami sentiu que devia se atrever a escrever, sem nenhuma pretensão de se tornar um grande nome da literatura. Ele simplesmente queria compartilhar tudo o que levava dentro de si.

Embora não soubesse por onde começar, disse a si mesmo: "Seria ótimo se eu pudesse escrever como se estivesse tocando um instrumento." E assim o fez, imprimindo ritmo, harmonia e melodia a todas as composições através da palavra.

Basta ler alguns de seus romances para notar a importância que a música tem para ele. "Tanto na música quanto na ficção, o mais importante é o ritmo", assegurou, e criou uma cadência e um estilo próprios que lhe renderam inúmeros prêmios e um reconhecimento internacional muito além do esperado.

Como uma possibilidade leva a outra, com o passar do tempo ele entendeu que havia aberto o clube de jazz para mergulhar na música e descobrir, graças a ela, sua verdadeira vocação: a literatura.

46ª Lei das possibilidades

Uma possibilidade pode ser uma ponte para
o nosso verdadeiro destino.

A festa do YouTube

Muitos espectadores que assistiram ao filme *A rede social* se surpreenderam ao comprovar que a origem do Facebook tenha sido tão fortuita e até mesmo banal: tudo começou numa noite de tédio como um programa para dar nota às estudantes mais bonitas de Harvard.

No entanto, o mundo da tecnologia e dos negócios está repleto de sucessos que não foram premeditados, mas surgiram a partir de ideias pouco ou nada ambiciosas.

Outro exemplo é a plataforma web YouTube, que foi criada pelo designer Chad Hurley e pelos cientistas da computação Steve Chen e Jawed Karim. Os três eram colegas na empresa PayPal e a ideia surgiu um dia em que não estavam conseguindo compartilhar um vídeo gravado durante uma festa.

Para suprir essa necessidade, eles decidiram criar um site em que as pessoas pudessem fazer upload de vídeos e compartilhá-los livremente. Foi então que nasceu, em 2005, o YouTube, adquirido no ano seguinte pelo Google por uma quantia milionária. A difusão do YouTube cresceu de tal modo que, em 2008, 38% dos vídeos visualizados na rede eram dessa plataforma.

Atualmente, podemos encontrar seus links em qualquer site, blog ou fórum, e até alguns shows são exibidos exclusivamente nesse canal.

Alguém poderia ter imaginado que aqueles três colegas, que só queriam compartilhar o vídeo de uma festa, acabariam levando sua invenção a milhões de lares?

47ª Lei das possibilidades

As ideias que atendem uma nova necessidade
são oportunidades de sucesso.

A importância de se arriscar

O JORNALISTA AMERICANO William Arthur Ward, que escreveu centenas de artigos para a popular revista *Reader's Digest,* fala neste memorável texto sobre a importância de se arriscar para desencadear a mudança e crescer como pessoa.

Rir é se arriscar a parecer bobo.
Chorar é se arriscar a parecer sentimental.
Recorrer ao outro é se arriscar a se comprometer.
Expor os próprios sentimentos é se arriscar a desnudar seu verdadeiro eu.
Expor ideias e sonhos diante da multidão é se arriscar a perdê-los.
Amar é se arriscar a não ser correspondido.
Viver é se arriscar a morrer.
Ter esperança é se arriscar a se desesperar.
Tentar é se arriscar a fracassar.
Mas é preciso correr riscos, porque não existe risco pior na vida do que não arriscar nada. A pessoa que não arrisca, que não faz nada, que não tem nada... não é nada. Talvez evite o sofrimento e a dor, mas não aprenderá, não sentirá as mudanças, não crescerá nem viverá verdadeiramente.
Acorrentado ao medo, é um escravo que perdeu a liberdade. Só é livre quem corre riscos. O pessimista se queixa do vento; o otimista espera que ele mude; e o realista ajusta as velas.

48ª Lei das possibilidades

O risco é o adubo das oportunidades.

Possibilidades quânticas

A FÍSICA QUÂNTICA TRABALHA a partir de possibilidades. Uma partícula subatômica, antes de se definir, está em toda parte e ao mesmo tempo em nenhuma. Ainda que seja difícil assimilar essa ideia, é assim que funciona o mundo minúsculo – e talvez também o grande mundo.

Segundo afirmam alguns teóricos, existem infinitos universos paralelos ao nosso, onde todas as possibilidades estão acontecendo ao mesmo tempo. Em um deles, caro leitor, você está ganhando cinco medalhas nos Jogos Olímpicos.

No entanto, os universos paralelos são também um espelho de nossas possibilidades.

Faça o exercício de imaginar outra vida que você poderia estar vivendo agora se suas escolhas tivessem sido diferentes.

Em seguida, pergunte-se em que universo de possibilidades deseja viver.

49ª Lei das possibilidades

Existem outros universos de possibilidades,
mas eles estão dentro de você.

É preciso deixar o pessimismo para tempos melhores e o otimismo para tempos piores.

Pedro Casaldàliga
(bispo espanhol radicado no Brasil)

Os sete hábitos

Em *Os 7 hábitos das pessoas altamente eficazes*, Stephen R. Covey afirma que, para nos transformarmos em quem desejamos ser, devemos implementar em nossa vida os hábitos corretos, analisar nossos objetivos, decidir qual será nossa meta e torná-la prioridade.

Basicamente, os hábitos que nos permitem materializar nossas possibilidades são:

1. Ser proativo – Acostume-se a agir em vez de reagir.
2. Começar com o final já em mente – O que as pessoas dirão de você no dia do seu enterro? Ter uma missão na vida ajuda a clarear os objetivos.
3. Pôr em primeiro lugar o que vem primeiro – Sua eficácia está em saber estabelecer prioridades.
4. Pensar em termos de ganha-ganha – Seu sucesso não deve depender do fracasso de outros.
5. Busque primeiro compreender e só depois ser compreendido – Não pode haver influência sem empatia.
6. Criar sinergia – O todo é maior que a parte e, quando você une pessoas em torno de um objetivo comum, surgem opções melhores que não apareceriam de outra forma.
7. Afiar a ferramenta – Para incrementar a produtividade, equilibre as dimensões física, mental, espiritual e social de sua vida.

50ª Lei das possibilidades

Hábitos eficazes nos ajudam a transformar nossos projetos em realidade.

O pilar da atitude

O PASTOR, EDUCADOR E escritor americano Charles Swindoll dizia que a atitude certa era o segredo para aproveitarmos as oportunidades que a vida põe em nosso caminho.

Em um de seus discursos mais célebres, afirmou:

> Quanto mais tempo eu vivo, mais percebo o impacto da atitude na vida. Para mim, ela é mais importante que os fatos. É mais importante que o passado, a educação, o dinheiro, as circunstâncias, o fracasso, os sucessos, e aquilo que as outras pessoas pensam, dizem ou fazem. É mais importante que a aparência, o talento e a habilidade (...). O mais extraordinário é que temos escolha todos os dias em relação à atitude que vamos adotar. Não podemos alterar o passado nem o modo como as pessoas vão agir. Não podemos mudar o inevitável. Podemos apenas jogar com o que temos, e o que temos é nossa atitude. Estou convencido de que a vida é 10% o que me acontece e 90% o modo como eu reajo a esses acontecimentos.

51ª Lei das possibilidades

A atitude é o árbitro que decide entre o triunfo ou o fracasso de nossas ações.

Brainstormings felizes

GRANDES IDEIAS JÁ nasceram por meio de um brainstorming, processo que é uma verdadeira loteria de possibilidades expostas de modo livre e muitas vezes disparatado, com o intuito de liberar a critatividade. É muito usado no mundo da propaganda para criar slogans ou até o nome de um novo produto ou serviço.

Todo mundo conhece o Twitter, a rede social baseada no conceito de *microblogging* que Jack Dorsey criou em 2006. Mas como nasceu este nome marcante, que todos relacionamos com o passarinho azul?

Ele surgiu justamente numa sessão de brainstorming. Um grupo de funcionários da empresa de internet Odeo se reuniu para quebrar a cabeça até conseguir um nome sugestivo para o novo projeto. Sabiam o que estavam procurando: um nome forte que combinasse com o som que ouvimos ao receber uma mensagem ou atualização no celular. Depois de escreverem as propostas, jogaram as ideias dentro de um boné. As melhores foram Jitter e Twitter, mas o poderoso acaso se encantou pelo querido pássaro azul.

Outro exemplo, o do conceito "2.0", surgiu na empresa O'Reilly Media, que precisava de um nome para o novo conceito web que estavam criando. Seus executivos haviam percebido que deveriam rebatizá-lo antes de implementar as mudanças que pretendiam fazer, e assim se reuniram para uma sessão de brainstorming em que um grupo escolheu o hoje popular nome de web 2.0.

Você já considerou os benefícios de um brainstorming com seu parceiro ou com os amigos para desenhar novos rumos? O que acha de batizar a etapa que está a ponto de iniciar?

52ª Lei das possibilidades

O brainstorming agita as possibilidades e desperta o vulcão da criatividade.

O deus das seis faces

UMA TÉCNICA MAIS radical que o brainstorming (em que no final escolhemos entre um grupo de possibilidades mais ou menos absurdas) é a que constitui o argumento do romance *O homem dos dados.*

George Cockcroft publicou esse livro em 1971, usando o pseudônimo do protagonista, Luke Rhinehart. A história começa de um jeito muito simples: um psicanalista pai de família, cansado de viver uma vida burguesa e acomodada, decide aplicar em si mesmo uma nova técnica que aconselha aos pacientes para que se atrevam a mudar de vida: a sorte dos dados.

Assim, Rhinehart se transforma no homem aleatório e sua vida entra em um plano no qual tudo é possível, dependendo da vontade dos dados. Esse revolucionário método de tomar decisões, que teve seguidores entre os leitores do livro, parte da premissa de que estamos limitados por nossos gostos, crenças e preconceitos.

Obedecendo ao acaso que o dado marca, dentro de uma lista de seis opções, descobriríamos novos horizontes na vida e faríamos coisas que nem sequer teríamos imaginado.

Todos pensamos em mudança em algum momento, mas a questão é saber se nos atreveremos mesmo a fazê-la e como faremos. Quando pensamos em como chegamos até aqui, como tomamos as decisões que nos trouxeram até este ponto, também nos perguntamos: elas foram pensadas devidamente ou também foram aleatórias?

Não podemos orientar todas as decisões de nossa vida pelo acaso, como faz o protagonista do romance. De vez em quando, porém, é um bom exercício renunciar ao controle e deixar nas mãos do destino uma decisão que não seja crucial. Para isso, basta anotar em um papel seis opções bem diferentes e lançar o dado, assumindo o compromisso de realizar a opção que aparecer.

53ª Lei das possibilidades

Quando não soubermos o que fazer,
deixemos que o acaso decida por nós.

Visionário por ofício

UM DOS PERSONAGENS do século XX que está sendo redescoberto ultimamente é o inventor sérvio Nikola Tesla. Além de ser autor de várias patentes, ele é considerado o pai da eletricidade comercial e inclusive do rádio, ainda que inicialmente essa honra tenha sido atribuída a Marconi.

No entanto, Tesla não foi apenas um gênio da inovação cujos projetos tiveram repercussão industrial. Também foi um visionário e anteviu algo que no início do século passado parecia apenas o sonho de um louco que acabou se tornando realidade.

Em 1909, ele concedeu uma entrevista ao *The New York Times* na qual profetizava as comunicações sem fio, um conceito de ficção científica para a tecnologia da época mas que hoje tem seu expoente nos celulares de última geração:

> Em breve será possível, por exemplo, que um executivo em Nova York dê instruções e estas apareçam escritas instantaneamente em Londres ou em qualquer outro lugar. Este homem poderá fazer ligações a partir do seu escritório e falar com qualquer pessoa no planeta que tenha um telefone. Só será necessário usar um instrumento, não muito caro nem maior do que um relógio, que permitirá que seu portador ouça em qualquer lugar, tanto na terra como na água, a distâncias de milhares de quilômetros (...) uma música, o discurso de um líder político, o sermão de uma personalidade religiosa importante, a conferência de um cientista, com os espectadores disseminados pelo mundo inteiro.

54ª Lei das possibilidades

Se você acredita que é impossível,
provavelmente está enganado.

Serendipidades

DOS CAPRICHOS DO acaso, passamos às casualidades felizes. Uma serendipidade é uma descoberta inesperada, produto da sorte, que será significativa mais adiante.

O termo "serendipidade" provém da palavra inglesa *serendipity*, cunhada em 1754 por Horace Walpole, após ler o conto persa "Os três príncipes de Serendip", em que os protagonistas solucionavam seus problemas graças a coincidências.

As serendipidades são bastante comuns na história da ciência e da literatura. Muitos autores imaginaram ou definiram coisas cuja existência foi demonstrada posteriormente. Alguns dos exemplos mais célebres de "acasos felizes" são:

- O descobrimento da América, já que na verdade Colombo pretendia chegar às Índias.
- A descoberta da Lei da Gravitação Universal por Isaac Newton, depois que o cientista testemunhou a queda fortuita de uma maçã.
- No romance *As viagens de Gulliver*, de Jonathan Swift, a descrição de duas luas orbitando ao redor de Marte, ainda que a óptica só tivesse permitido descobrir os dois satélites marcianos – Fobos e Deimos – um século e meio depois.

55ª Lei das possibilidades

Quando um acontecimento fortuito faz sentido, devemos ouvir sua mensagem.

Os princípios de Jefferson

THOMAS JEFFERSON FOI o terceiro presidente dos Estados Unidos e um dos pais fundadores da pátria. Este político ilustrado conhecia muitos intelectuais da Grã-Bretanha e da França, mas na hora de aconselhar o seu povo era claro e direto.

Para as pessoas que permanecem confusas e que têm dificuldade em escolher suas possibilidades, estes 10 princípios para uma vida feliz continuam tão úteis hoje como há dois séculos:

1. Nunca deixe para amanhã o que pode fazer hoje.
2. Nunca incomode outro por algo que você mesmo é capaz de fazer.
3. Nunca gaste dinheiro antes de tê-lo na mão.
4. Nunca compre algo que não quer só porque está barato.
5. O orgulho sai mais caro do que a fome, a sede e o frio.
6. Nunca nos arrependeremos de ter comido pouco.
7. Nenhuma tarefa é difícil se a realizamos com boa vontade.
8. Não se preocupe com desgraças que nunca aconteceram.
9. Veja as coisas sempre pelo lado positivo.
10. Quando estiver zangado, conte até 10 antes de falar; se estiver muito zangado, conte até 100.

56ª Lei das possibilidades

Princípios sólidos nos ajudam a tomar decisões que não sejam prejudiciais para nós nem para os demais.

Com amor e paciência, nada é impossível.

Daisaku Ikeda
(budista japonês)

O conto do pescador e das pedras

EXISTE UM RELATO do místico Osho que ilustra como as ideias preconcebidas anulam nossas possibilidades.

Ele conta que numa manhã bem cedo, antes do nascer do sol, um pescador foi ao rio. Perto da margem, sentiu algo sob seus pés e descobriu que era uma pequena bolsa de pedras. Recolheu a bolsa, deixou a rede de lado e ficou de cócoras à beira da água.

Estava esperando a luz do dia para iniciar seu trabalho diário quando, preguiçosamente, pegou uma pedra da bolsa e a jogou na água. Entretido com o barulho que se fez, jogou outra pedra. Como não tinha nada para fazer, continuou jogando as pedras, uma atrás da outra.

Quando o dia realmente clareou, ele já havia jogado todas as pedras, exceto a última, que estava na palma da sua mão. Seu coração quase parou quando, à luz, viu o que tinha na mão.

Era uma pedra preciosa! No escuro, havia jogado muitas delas. Quanto havia perdido sem perceber!

Desolado, amaldiçoou a si mesmo e quase enlouqueceu de arrependimento. Por mero acaso, havia deparado com uma grande riqueza que poderia ter proporcionado um bem-estar extraordinário à sua vida. Mas, sem perceber, perdera essa riqueza na escuridão.

E, apesar de tudo, teve sorte, porque ainda lhe restava algo: a luz havia chegado antes que ele lançasse a última pedra.

57ª Lei das possibilidades

Antes de descartar algo ou alguém devemos verificar o seu valor.

Alô?

A NECESSIDADE CRIA AS possibilidades, como demonstra a história do inventor do telefone, Graham Bell, que cresceu numa família dedicada ao ensino da oratória.

A família vivia em Edimburgo, na Escócia, e ficou marcada pela surdez precoce da mãe, para quem foi inventada uma linguagem de sinais. Foi o que levou Graham Bell a estudar acústica.

Bell tinha um espírito sensível, aprendeu a tocar piano sozinho e praticava ventriloquia. Não foi um bom estudante quando era criança, porque só assistia às aulas que o interessavam, mas terminou estudando nas universidades de Edimburgo e Toronto.

Bell se concentrou nas experiências com eletricidade para a transmissão do som. Já conhecemos o resto da história. Quem não tem um telefone em casa?

No entanto, o curioso foi que, quando Bell começou a oferecer seu invento, um executivo da empresa de finanças e comunicação Western Union definiu-o como "um aparelho sem valor com o qual ninguém vai desejar se comunicar, pois, afinal, quem iria querer falar com uma pessoa que não está vendo?".

Felizmente, nem todo mundo teve a mesma opinião. Graças a isso, podemos falar uns com os outros por maior que seja a distância entre nós.

58ª Lei das possibilidades

Estar à frente do seu tempo é a principal tarefa dos visionários.

Chapéus do pensamento

O MÉDICO E PSICÓLOGO Edward de Bono é considerado a autoridade máxima em assuntos de pensamento lateral aplicados à criatividade. Em seu livro *Os seis chapéus do pensamento*, ele propõe um método metafórico para fazer o cérebro funcionar de modos distintos de acordo com a cor do chapéu que estamos usando, já que cada uma delas contribui com uma estratégia diferente para solucionar um problema.

As cores são identificadas pelas diferentes possibilidades na hora de pensar, que variam segundo a perspectiva em uso para focar determinado assunto:

1. Chapéu branco – Visão neutra dos fatos, tal como vemos.
2. Chapéu vermelho – Quando nós o colocamos, adotamos um olhar visceral, instintivo e emocional.
3. Chapéu preto – A lógica aplicada é a de identificar barreiras, ou seja, o julgamento negativo.
4. Chapéu amarelo – A lógica aplicada é a de encontrar soluções, o julgamento positivo.
5. Chapéu verde – Este nos proporciona o dom da investigação, do pensamento criativo.
6. Chapéu azul – Permite pensar sobre o pensar, nos torna conscientes do processo de controle.

Com esses seis chapéus – que colocamos metaforicamente – podem ser realizados exercícios para abordar todas as possibilidades que um problema oferece.

As sequências costumam começar e terminar com o chapéu azul. Por exemplo: para trabalhar uma ideia que acaba de surgir, usaríamos o itinerário azul, branco, verde, azul. Para identificar uma solução: azul, branco, preto, verde e azul.

Se você se sente empacado em algum problema, recorra a esses chapéus mágicos que nos permitem trabalhar como se tivéssemos seis cabeças diferentes.

59ª Lei das possibilidades

Uma mudança em nossa forma de pensar nos permite ver novas possibilidades onde aparentemente não havia nenhuma.

As quatro vias do apache

De forma muito menos analítica, mas igualmente útil, a tribo dos apaches fala em sua tradição dos quatro graus de pensamento na hora de enfrentar um problema.

Estas são as possibilidades que a mente nos oferece:

- A primeira é seguir imediatamente o primeiro pensamento que vier à cabeça.
- Se parar para pensar, você já escolheu a segunda maneira.
- A terceira é pensar, mas ainda não agir.
- Se você pensar uma quarta vez, então estará no caminho certo. Às vezes, é preciso um dia inteiro para encontrar a solução de um problema.

60ª Lei das possibilidades

Algumas possibilidades devem amadurecer antes de se transformar em ação.

Viver um só dia de cada vez

Existem dois dias de cada semana com os quais não deveríamos nos preocupar; dois dias que deveriam estar livres de medo e apreensão.
Um deles é ontem, com seus erros e acertos, ferimentos e dores.
O ontem passou para sempre e não há nada que possamos fazer.
Todo o dinheiro do mundo não pode desfazer nem um só de nossos atos; não pode apagar uma única palavra que dissemos.
O ontem se foi.
O outro dia com que não deveríamos nos preocupar é amanhã, com suas exigências, promessas e problemas. O amanhã também não está em nossas mãos.
Com isso, nos resta um único dia: hoje.
Qualquer pessoa pode batalhar por um dia. Portanto, vamos viver um só dia de cada vez!

Richard Moore

61ª Lei das possibilidades

As oportunidades também estão no lugar onde nós estamos: AQUI.

Sonhar com novas possibilidades

Os sonhos sempre tiveram um papel fundamental na história da ciência, como iremos comprovar a seguir.

Às vezes, quando quebramos muito a cabeça com um dilema ou uma dúvida, quando lutamos com um problema cuja solução estamos buscando em vão, o que precisamos é dar descanso à mente para que o inconsciente venha em nosso auxílio e nos ofereça a resposta.

O químico Friedrich Kekulé já estava trabalhando havia muito tempo na estrutura molecular do benzeno até que um dia, cansado, ele adormeceu à lareira. No sonho, surgiram vários átomos formando uma serpente que fazia vários S. De repente, a serpente mordeu o próprio rabo e fez o cientista acordar com a resposta: tratava-se de um composto cíclico!

Algo parecido aconteceu a Niels Bohr, que estava imerso na busca da configuração do átomo e acabou dormindo no meio do trabalho. No sonho, viu claramente o possível modelo do que estava buscando. Ao acordar, pegou papel e lápis e começou a desenhar, pois tinha achado a solução que mudaria nossa visão do átomo.

O terceiro exemplo de sonhos que trazem novas possibilidades aconteceu com o químico Mendeleiev: ele havia passado várias noites acordado, tentando desvendar o mistério da ordem da tabela periódica. Aquela situação estava exaurindo suas forças. Um dia, caiu em um sono profundo. Durante o sonho, viu todos os elementos no lugar certo. Quando acordou, já tinha a solução e pôde passar a tabela toda para o papel. Depois, só precisou complementar com algumas correções.

62ª Lei das possibilidades

Mesmo quando estamos dormindo nossa mente segue fabricando possibilidades.

Para melhorar nossa vida só precisamos seguir três passos:
1. Começar de imediato.
2. Pensar grande.
3. Agir sem desculpas.

William James
(filósofo e psicólogo americano)

O que é um cisne negro?

O PROFESSOR EM CIÊNCIAS da Incerteza da Universidade de Massachusetts, Nassim Nicholas Taleb, explicou no livro *A lógica do cisne negro* o fenômeno mental que prende os seres humanos numa realidade quadriculada e distorcida.

Este cientista nascido no Líbano acredita que temos uma tendência a reduzir a complexidade do mundo a uma realidade simplória, construída por nós mesmos, a partir do que acreditamos saber sobre aquilo que está ao nosso redor, o que consideramos verdadeiro.

No entanto, existem outras possibilidades para além desse estreito horizonte mental.

Em seu ensaio, ele usa como exemplo a descoberta, em 1697, do cisne negro na Austrália, quando todos acreditavam que só existiam cisnes brancos, com base em provas empíricas da sua realidade. Usando o exemplo da ave de forma alegórica, um cisne negro é um acontecimento que apresenta três características, segundo Taleb:

- causa grande impacto;
- é difícil de prever;
- supera as expectativas aceitáveis.

Esta última explica o efeito Facebook ou o sucesso inusitado da empresa sueca Ikea. Os fenômenos totalmente inesperados demonstram nossa incapacidade de prever acontecimentos que chegam a mudar o futuro. Para nossas mentes racionais é mais cômoda uma realidade ordenada, onde tudo é previsível.

63ª Lei das possibilidades

As possibilidades inesperadas são as que geram mais impacto.

O conto do ganso e das dúvidas

ESTE RELATO ATRIBUÍDO a Shien Yi Pen demonstra como o fato de hesitar entre várias possibilidades pode nos fazer fracassar antes mesmo de ter conseguido algo.

Os protagonistas são dois irmãos que, quando viram que um bando de gansos selvagens se aproximava, prepararam seus arcos.

– Se abatermos um desses gansos – disse um deles –, vamos comê-lo bem cozido.

– Não – retrucou o outro –, isso é bom para preparar gansos caçados em terra firme, mas os que se matam em pleno voo devem ser assados.

Para encerrar a discussão, se dirigiram ao chefe do povoado, que lhes aconselhou:

– Cortem o ganso pela metade e assim cada um poderá preparar o ganso ao seu gosto.

Quando os dois caçadores finalmente estavam prontos para atirar, os gansos já haviam desaparecido no horizonte.

64ª Lei das possibilidades

Quando a dúvida entre duas possibilidades é grande demais, a oportunidade se evapora.

Ligar os pontos

No célebre discurso pronunciado em Stanford, Steve Jobs explicou sua tumultuada trajetória de vida, repleta de reviravoltas e novas possibilidades.

Aos 12 anos, no colégio, Jobs viu um computador pela primeira vez. Os engenheiros da Hewlett-Packard haviam levado o aparelho para fazer uma apresentação e Jobs ficou impressionado. Foi então que soube que a informática o interessava mais que tudo no mundo.

Ele conseguiu chegar à universidade, mas saiu seis meses depois. Assistiu a algumas aulas como ouvinte, especialmente a de caligrafia, algo que a princípio parecia inútil, mas que adiante serviria para criar a tipografia para o Mac.

Segundo Jobs, existem coisas cujo sentido só entendemos depois, quando ligamos os pontos.

A Apple nasceu quando Jobs criou, com Steve Wozniak, o primeiro protótipo de computador pessoal, que foi rejeitado pela HP.

Jobs passou a mostrar seu computador nas feiras e a obter mais e mais aceitação. As vendas foram aumentando e o segundo projeto foi muito bem-sucedido.

Em um lance digno de uma obra de Dickens, as mesmas pessoas que ele havia contratado para dirigir a empresa, e que naquele momento formavam a diretoria da Apple, o demitiram em 1985.

Aos 30 anos, com seu sonho de infância estraçalhado, Jobs não desanimou e decidiu insistir naquilo que sabia fazer melhor: imaginar o futuro. E assim criou o estúdio de animação digital Pixar, que estreou com o grande sucesso *Toy Story*.

Enquanto isso, a Apple entrava numa perigosa derrocada que ameaçava sua sobrevivência e fez com que, em 1997, seus dirigentes chamassem Jobs de volta para a empresa, como diretor executivo.

Nesta segunda etapa, ele lançou mais produtos que revolucionaram nosso tempo, como o iPod, o iPhone e o iPad.

Jobs teve que seguir por um trajeto tortuoso para chegar até ali, mas todos os acidentes acabaram sendo necessários e enriquecedores. No final, só foi preciso ligar os pontos para ver o desenho completo.

> **65ª Lei das possibilidades**
>
> Alguns acontecimentos só são compreendidos quando conseguimos ligar os pontos.

O segredo do chá defumado

O APRECIADO CHÁ CHINÊS LapSang SouChong, o favorito do detetive Sherlock Holmes, adquiriu seu particular sabor defumado por acaso durante uma viagem da China para a Rússia.

Em 1689, Rússia e China assinaram um tratado para delimitar suas fronteiras comerciais, e o embaixador chinês presenteou o czar Alexis com vários caixotes de chá. No entanto, o chá tinha que ser transportado durante muito tempo antes de chegar ao seu destino, primeiro sendo levado por mulas através das montanhas e depois por camelos, cruzando o deserto de Gobi.

Essas caravanas viajavam um ano inteiro, pois precisavam completar uma rota comercial em que trocavam peles, sedas e ervas ao passarem pela Mongólia e pela Sibéria. Durante todo esse tempo, o chá ficava guardado em sacos, e todas as noites, quando montavam o acampamento e acendiam as fogueiras, a fumaça chegava até as ervas, dando a elas um aroma característico.

Esse processo, que no início parecia estar estragando as folhas, se tornou a principal característica do chá chinês, que rapidamente se transformou em artigo de luxo.

Alguém logo soube ver as possibilidades daquele sabor defumado. Quando a ferrovia transiberiana foi inaugurada, em 1800, a especialidade se tornou popular no mundo inteiro.

66ª Lei das possibilidades

Em tudo o que é estranho existe o embrião de uma nova oportunidade.

Descartar os erros

NOSSA FELICIDADE DEPENDE, frequentemente, mais das coisas que não fazemos que daquelas que fazemos. A respeito disso, o filósofo e orador romano Cícero enumerou os seis erros comuns que geram problemas e ansiedade:

1. Alimentar a ilusão de que o ganho pessoal é obtido passando-se por cima de outras pessoas.
2. Viver se preocupando com coisas que não podem ser mudadas nem corrigidas.
3. Insistir em acreditar que algo é impossível porque não conseguimos fazê-lo.
4. Recusar-nos a nos desprender de preferências triviais.
5. Negligenciar o desenvolvimento e a purificação da mente, e o hábito de ler e estudar.
6. Tentar fazer com que os outros vivam como nós e sigam as nossas crenças.

67ª Lei das possibilidades

Tomar consciência do que não devemos fazer é mais útil do que qualquer triunfo.

Coco Chanel

POUCAS HISTÓRIAS DE superação e possibilidades são tão impactantes como a daquela que veio a ser o maior ícone da moda: Coco Chanel.

Gabrielle Chanel nasceu em Saumur, na França, filha ilegítima de um vendedor ambulante e uma lavadeira. Aos 12 anos, depois de perder a mãe, foi mandada pelo pai para um convento.

Lá, não perdeu tempo e aprendeu a costurar com peculiar habilidade, o que lhe rendeu o primeiro emprego como costureira. Mas o dinheiro não era suficiente para se sustentar, e ela então decidiu se tornar cantora de cabaré. Seu apelido Coco viria de uma música que ela cantava, "Qui qu'a vu Coco" .

Ela manteve essa segunda ocupação durante alguns anos, com a intenção de conhecer um homem que a ajudasse em seu sonho de criar e vender a própria linha de roupas.

Os amantes se sucederam até que ela pôde se instalar em um pequeno apartamento em Paris e abrir a primeira loja de chapéus, Chanel Modes, patrocinada por Etienne Balsan, que pouco tempo depois a apresentaria a Boy Capell, talvez um dos homens que mais influenciaram a vida de Coco.

Ajudada economicamente por seus dois amantes, finalmente conseguiu abrir em Paris, na rue Cambon, a primeira Maison Chanel. Faltava pouco para que ela se tornasse a grande dama da moda.

Com a intenção de romper barreiras e abrir novas possibilidades, Coco eliminou dos desenhos todos os detalhes que atrapalhavam os movimentos naturais das mulheres. Além disso, começou a lançar mão de tecidos inusitados.

Suas roupas simples, de linhas retas, contribuíram para dar um toque de distinção às suas clientes. "A moda passa, o estilo permanece" foi um de seus lemas, e Coco Chanel baseou todas as coleções nesse princípio. Os modelos das roupas, junto com o sucesso do famoso perfume Chanel Nº 5, a transformaram na rainha indiscutível da moda no século XX.

O passado humilde de costureira não a impediu de chegar ao topo do mundo. Ao contrário, foi um estímulo para romper barreiras sociais, morais e estéticas.

68ª Lei das possibilidades

Não importa de onde viemos, e sim para onde nos dirigimos.

A invenção do sanduíche

A ORIGEM DO SANDUÍCHE é insólita, fruto de um capricho. A iguaria recebeu este nome por causa de John Montagu, IV conde de Sandwich, que viveu durante o século XVIII. Ele era amante dos jogos de cartas e, certa vez, chegou a prolongar um jogo por mais de 24 horas. Seu oponente, morto de fome, suplicou que parassem de jogar para comer.

Montagu não queria parar o jogo por nada e pediu ao criado que preparasse algo que pudessem comer ali mesmo. Após dar uma rápida olhada na despensa, mandou que cortassem pão e pusessem carne e mostarda entre duas fatias, para segurarem com as mãos.

Nasceu assim a comida que passaria a ser a predileta de Montagu, porque era possível comer o sanduíche e jogar ao mesmo tempo.

Desde então, o sanduíche se disseminou pelo mundo inteiro, nas mais variadas formas e recheios. E tudo isso porque um conde não quis interromper o jogo de cartas.

69ª Lei das possibilidades

Tudo o que é útil se transforma em uma oportunidade.

Sejamos a mudança
que queremos ver no mundo.

Mahatma Gandhi
(ativista indiano)

Uma oportunidade de cinema

HARRISON FORD, UM dos galãs que marcaram as décadas de 1970 e 1980, não conseguiu realizar seu sonho até obter uma segunda chance.

Nascido em Chicago, descobriu as artes dramáticas ainda na escola e deu os primeiros passos na sétima arte muito cedo, mas só conseguia papéis insignificantes e mal pagos.

Seu primeiro filho estava a ponto de nascer e Ford precisava encontrar um trabalho que os sustentasse, então abandonou a vocação e se dedicou à carpintaria. Nunca imaginou que um ofício tão modesto seria precisamente o caminho para fazê-lo triunfar na frente das câmeras.

Começou a trabalhar como carpinteiro para a Universal e conheceu ali o jovem George Lucas, que naquela época estava começando como diretor. A partir desse ponto, a roda das possibilidades começou a girar. Ao tomar conhecimento dos trabalhos anteriores de Ford como ator, Lucas ofereceu o papel de Bob Falfa em seu filme *Loucuras de verão*.

O filme não conquistou muito sucesso, e, após a filmagem, Ford, que então já tinha dois filhos, continuou trabalhando como carpinteiro. Mas manteve sua amizade com Lucas que, quando estava fazendo a seleção para *Star Wars*, convocou Ford para ajudá-lo com a leitura dos scripts.

Como não encontrou nenhum candidato que o agradasse para interpretar Han Solo, o diretor acabou dando a Ford o papel que o tornaria mundialmente famoso.

O sonho do carpinteiro havia finalmente se tornado realidade.

70ª Lei das possibilidades

Na vida, algumas coisas não dão certo da primeira vez.

O que passou, passou

Os pessimistas e os chatos em geral insistem em nos chamar a atenção para "a decadência em que vivemos". Seguindo a filosofia de que qualquer época passada foi melhor que a atual, criticam os jovens de hoje, lamentam a insegurança das ruas, a falta de ética, etc., etc.

Agem como se este mundo tivesse sido um paraíso em algum momento. Com essa atitude negativa, conseguem apenas reduzir as possibilidades de fazerem algo proveitoso. Jostein Garder, o autor de *O mundo de Sofia*, costuma dizer, a respeito dessa tendência: "Sou otimista, porque no fundo os pessimistas são uns preguiçosos."

O jornalista britânico Max Hastings chegou às seguintes conclusões sobre a idealização dos tempos passados:

> Nunca inveje o passado. Muita gente tem a ideia absurda de que antigamente o mundo era um lugar mais fácil, seguro e agradável. Qualquer pessoa que conheça um pouco de história sabe que isso é um equívoco. Em todos os aspectos – saúde, prosperidade, segurança – (...) o mundo ocidental de hoje é privilegiado. Deveríamos ficar agradecidos e reconhecer o valor de nossos antepassados na hora de enfrentarmos nossos problemas – que são diferentes dos que eles tiveram, mas não piores.

71ª Lei das possibilidades

O presente é melhor do que qualquer outro tempo,
já que é o único que temos.

Amazon.com

EM UM MUNDO em constante mudança, a primeira pessoa que vislumbra uma nova possibilidade ganha o jogo.

Foi o caso de Jeff Bezos, fundador da Amazon. Após se formar em engenharia elétrica e ciência da computação pela Universidade de Princeton, ele trabalhou para uma companhia de fibra óptica em Wall Street. Foi durante uma viagem que fez de Nova York a Seattle em 1994 que decidiu abrir sua própria empresa: Cadabra.com.

Ele já sabia que a internet logo estaria presente em todos os mercados e começou a procurar os produtos mais solicitados e também a ver quais deles poderiam ser enviados por correio. Depois dessa pesquisa, mudou-se para Seattle, entrou em contato com um atacadista e procurou uma casa com garagem.

A livraria on-line Cadabra.com contava com mais de 200 mil títulos que podiam ser solicitados por correio eletrônico. Pouco depois, Bezos rebatizou a companhia com o nome de Amazon. Com isso, conseguiu também ser uma das primeiras páginas da lista telefônica, organizada por ordem alfabética.

Pouco tempo depois, já recebia milhares de visitas, e em um ano seu lucro era 25 vezes maior.

Hoje a Amazon.com não vende apenas livros: oferece praticamente de tudo. Para Bezos, trata-se da empresa mais focada no cliente que existe no mundo, já que consegue detectar preferências e se propõe a oferecer produtos que combinem com elas.

O segredo de Jeff Bezos na hora de criar a loja on-line mais importante do planeta foi prever as necessidades dos clientes e se planejar para o futuro.

72ª Lei das possibilidades

Quem antecipa uma tendência tem sempre um papel predominante nessa tendência.

Tempus fugit

JERRY SEINFELD É para muitos o comediante mais brilhante das últimas décadas. A série que leva seu nome e em que ele interpreta a si mesmo conquistou milhões de fãs em muitos países.

Nesta divertida reflexão, ele fala de um assunto muito sério: o uso que fazemos do tempo, a única riqueza que não admite reposição.

> A vida é uma viagem. Todos estamos presos a ela e ninguém consegue pará-la. No momento em que você nasce e o médico lhe dá um tapinha no bumbum, o que ele faz, na verdade, é validar a sua passagem, e é aí que você inicia seu trajeto. Quando vai passando da juventude para a maturidade, e da maturidade para a velhice, às vezes você levanta os braços e grita; outras vezes, vê o tempo passar sentado no bar. Mas a viagem da vida não se interrompe (...). Evidentemente, todos tentamos ganhar tempo: buscamos a distância mais curta, pegamos atalhos. Mas dá no mesmo: por mais que você poupe tempo, no fim da vida não terá recuperado esses segundos que foi acumulando (...). Porque quando você perde tempo na vida, isso é diminuído do seu tempo atual. Por exemplo, se você assistir a todos os filmes *Rocky*, esses minutos serão tirados de você. Por isso, deve-se ir com cuidado. Você pode usar o Concorde para ir à Europa, mas, se durante o percurso passarem um filme como *Corrida na correnteza*, você volta ao ponto onde estava antes.

73ª Lei das possibilidades

O tempo mal-empregado não admite devolução.

O método Leonardo

NA VIDA DE todos nós, existem momentos em que nos sentimos bloqueados e não sabemos que caminho seguir. É aí que perdemos as possibilidades de vista e somos tomados pela angústia.

Gênios tão imortais como Leonardo da Vinci também passaram por essa situação. É o florentino, inclusive, que nos oferece uma saída para romper essa estagnação e recuperar a criatividade e o frescor:

> De vez em quando, saia para passear e relaxar um pouco. Com certeza, ao voltar para o trabalho, seu julgamento será mais preciso, pois quando permanecemos constantemente numa tarefa ficamos com a perspectiva comprometida. Se você se distancia um pouco, o trabalho parece menor e podemos ver com mais clareza se falta harmonia ou proporção.

Podemos aplicar esse conselho à vida cotidiana: fazendo breves pausas criativas durante o trabalho – ficar no Facebook não conta! –, reservando para nós mesmos um momento diário para uma atividade artística ou simplesmente voltando para casa a pé após uma longa jornada a fim de renovar as ideias.

Como dizia o poeta Ovídio: "Descanse; o campo que repousou produz uma colheita mais abundante."

74ª Lei das possibilidades

Algumas vezes precisamos parar para que as possibilidades possam nos alcançar.

Início

ISSO MESMO, VOCÊ não leu errado. O último capítulo de *Tudo é possível* não é um fim, mas sim um início. Uma obra termina e outra começa: a que você vai traçar com seus próprios passos a partir de agora.

Ao longo destas páginas, exploramos uma infinidade de caminhos que podem ser percorridos pelo ser humano, que com frequência se limita a ver uma única rota na sua frente. Agora você já sabe que não precisa ser assim.

Nada é definitivo e não há ninguém melhor do que você para criar o roteiro da sua vida a partir de agora.

Atreva-se a sonhar. Escreva numa folha de papel tudo o que desejaria ter feito e que ainda não realizou. Elabore um plano, dando prioridade ao que precisa acontecer primeiro.

Comprometa-se.

Acredite nas suas possibilidades e comece agora mesmo a torná-las realidade.

Desejo a todos vocês uma boa viagem.

75ª Lei das possibilidades

A oportunidade reside no agora.

A pior tentação humana é aspirar a pouca coisa.

THOMAS MERTON
(monge e pensador americano)

CONHEÇA OUTROS TÍTULOS DO AUTOR

Nietzsche para estressados

Nietzsche para estressados é um manual inteligente e estimulante que reúne 99 máximas do gênio alemão e sua aplicação a várias situações do dia a dia. A sabedoria de Nietzsche é de grande utilidade na busca de uma solução para uma série de problemas, tanto na vida pessoal quanto na profissional.

Esse breve curso de filosofia cotidiana foi criado por Allan Percy para nos auxiliar nos momentos em que precisamos tomar decisões, recuperar o ânimo, encontrar o caminho certo e relativizar a importância dos fatos da vida. É indicado para quem procura inspiração no pensamento do filósofo mais influente da era moderna para combater as angústias e os medos dos dias de hoje.

Cada capítulo é iniciado por um aforismo do grande mestre, seguido de uma interpretação atual. Muitas vezes, sua sabedoria é associada às ideias de outros autores renomados, enriquecendo ainda mais o assunto.

O legado de Nietzsche induz à reflexão e oferece uma forma inovadora de superar as dificuldades.

Oscar Wilde para inquietos

Oscar Wilde para inquietos é uma aula de filosofia extraída da vida e da obra do consagrado autor de *O retrato de Dorian Gray*. Nas frases ditas por Wilde ou naquelas expressas por seus célebres personagens, encontramos uma ironia única e uma sabedoria imortal que refletem o brilhantismo de um homem que aproveitou ao máximo os prazeres da vida, sem deixar de observá-la criticamente.

Cada capítulo traz uma frase marcante do escritor, que Allan Percy comenta e desenvolve, entrelaçando-a a pensamentos de pessoas renomadas em áreas que vão da dramaturgia à educação, da música à filosofia. São 99 máximas que tratam de assuntos variados, como amor, dinheiro, amizade e convívio social, com uma linguagem clara que põe ao alcance de todos até mesmo a ideia mais refinada.

Você passará a ver o cotidiano sob um novo prisma, irreverente, crítico e, ao mesmo tempo, sofisticado e cheio de esperança.

Kafka para sobrecarregados

Kafka para sobrecarregados é um curso de filosofia prático e acessível para quem quer extrair o máximo da vida e aprender a lidar com as situações absurdas que o cotidiano nos impõe.

Franz Kafka foi um homem profundamente atormentado. Tímido, oprimido pelo pai e incapaz de lidar com a própria fragilidade, encontrou na arte uma maneira de dar voz à sua dor. Por meio de seus escritos, lançou um olhar tão lúcido a respeito do ser humano que ele é considerado um dos grandes gênios da literatura universal.

Este livro traz 99 máximas que refletem a essência do pensamento kafkiano, abordando temas como amor, felicidade, realização pessoal, sucesso e o sentido da vida.

Após cada aforismo, Allan Percy comenta, explica e desenvolve o pensamento, mostrando de que forma ele pode ser adaptado à nossa realidade e como pode nos ajudar a sair ilesos das metamorfoses da vida.

CONHEÇA OS CLÁSSICOS DA EDITORA SEXTANTE

1.000 lugares para conhecer antes de morrer, de Patricia Schultz

A História – A Bíblia contada como uma só história do começo ao fim, de The Zondervan Corporation

A última grande lição, de Mitch Albom

Conversando com os espíritos e *Espíritos entre nós*, de James Van Praagh

Desvendando os segredos da linguagem corporal e *Por que os homens fazem sexo e as mulheres fazem amor?*, de Allan e Barbara Pease

Enquanto o amor não vem, de Iyanla Vanzant

Faça o que tem de ser feito, de Bob Nelson

Fora de série – Outliers, de Malcolm Gladwell

Jesus, o maior psicólogo que já existiu, de Mark W. Baker

Mantenha o seu cérebro vivo, de Laurence Katz e Manning Rubin

Mil dias em Veneza, de Marlena de Blasi

Muitas vidas, muitos mestres, de Brian Weiss

Não tenha medo de ser chefe, de Bruce Tulgan

Nunca desista de seus sonhos e *Pais brilhantes, professores fascinantes*, de Augusto Cury

O monge e o executivo, de James C. Hunter

O poder do Agora, de Eckhart Tolle

O que toda mulher inteligente deve saber, de Steven Carter e Julia Sokol

Os segredos da mente milionária, de T. Harv Eker

Por que os homens amam as mulheres poderosas?, de Sherry Argov

Salomão, o homem mais rico que já existiu, de Steven K. Scott

Transformando suor em ouro, de Bernardinho

INFORMAÇÕES SOBRE OS
PRÓXIMOS LANÇAMENTOS

Para saber mais sobre os títulos e autores da EDITORA SEXTANTE, visite o site www.sextante.com.br, curta a página facebook.com/editora.sextante e siga @sextante no Twitter. Além de informações sobre os próximos lançamentos, você terá acesso a conteúdos exclusivos e poderá participar de promoções e sorteios.

Se quiser receber informações por e-mail, basta cadastrar-se diretamente no nosso site ou enviar uma mensagem para atendimento@esextante.com.br

www.sextante.com.br

facebook.com/editora.sextante

twitter: @sextante

Editora Sextante
Rua Voluntários da Pátria, 45 / 1.404 – Botafogo
Rio de Janeiro – RJ – 22270-000 – Brasil
Telefone: (21) 2538-4100 – Fax: (21) 2286-9244
E-mail: atendimento@esextante.com.br